CAPELI MÔN

Capeli Môn

Geraint I. L. Jones

Argraffiad cyntaf: Mehefin 2007

Rhif Llyfr Safonol Rhyngwladol:
0-84527-136-X
978-1-84527-136-7

Mae'r cyhoeddwyr yn cydnabod cefnogaeth ariannol
Cyngor Llyfrau Cymru

Lluniau: Geraint I. L. Jones
Cynllun clawr: Sian Parri

Argraffwyd a chyhoeddwyd gan Wasg Carreg Gwalch,
12 Iard yr Orsaf, Llanrwst, Dyffryn Conwy, LL26 0EH.
☎ 01492 642031 📠 01492 641502
✆ llyfrau@carreg-gwalch.co.uk
Lle ar y we: www.carreg-gwalch.co.uk

Cynnwys

Rhagair

Nid bwriad y llyfr hwn yw bod yn werslyfr ar hanes Anghydffurfiaeth yng Nghymru ac Ynys Môn. Llyfr ar gyfer y lleygwr yw hwn, heb unrhyw ymdriniaeth o athroniaeth crefydd a'r gwahanol enwadau. Yn y gyfrol hon ceir ychydig o hanes cynnar sefydlu capeli ar Ynys Môn yn ogystal â manylion byr ynghylch arferion Anghydffurfiaeth, penseiri'r capeli, arweinwyr anghydffurfiol lleol a chymwynaswyr y capeli. Yn y bennod olaf ceir rhestr gynhwysfawr o gapeli anghydffurfiol yr ynys, presennol a gorffennol. Cymerwyd pob gofal rhesymol i sicrhau bod y wybodaeth a gyflwynir yma yn gywir; cyfrifoldeb yr awdur yw unrhyw wallau. Defnyddir y talfyriadau canlynol: A (Annibynwyr), B (Bedyddwyr), P (Presbyteriaid/Methodistiaid Calfinaidd), W (Wesleaid).

Pennod 1

Rhagarweiniad

Yn hanner cyntaf yr unfed ganrif ar bymtheg, bu dau ddigwyddiad arwyddocaol yn hanes Cymru. Un o'r rhain oedd uno Cymru yn ffurfiol gyda Lloegr pan basiwyd y Ddeddf Uno yn 1536, er bod Cymru wedi'i goresgyn gan y Saeson flynyddoedd maith cyn hyn. Roedd y digwyddiad arall yn ymwneud â chrefydd. Hyd at 1534, Eglwys Rufain oedd yr unig ffydd Gristnogol yng Nghymru, ond bu ffrae rhwng y Brenin Harri VIII a'r Pab, a chrëwyd Eglwys Loegr gyda'r Brenin ei hun yn bennaeth arni. Hwn oedd y Diwygiad Protestannaidd. Erbyn teyrnasiad y Frenhines Elizabeth I (1558-1603), roedd yr eglwys newydd wedi'i sefydlu'n gadarn.

Yn 1567 cyhoeddwyd y Testament Newydd yn Gymraeg am y tro cyntaf, ac yn 1588 cwblhawyd cyfieithiad William Morgan o'r Beibl cyfan ar gais y Frenhines Elizabeth I. Roedd y wladwriaeth yn eu gweld fel modd o gynnwys y Cymry yn y ffydd Brotestannaidd. Ond canlyniad y cyfieithu a'r defnydd wnaed o Feibl William Morgan oedd safoni ac ehangu'r defnydd o'r Gymraeg ym myd yr eglwys, gan arwain at ddadeni rhyddiaith a goroesiad yr iaith.

Oddeutu canrif yn ddiweddarach, yn y 1640au, daeth yr arwyddion cynharaf nad oedd pawb yn hapus gydag awdurdod Eglwys Loegr. Dyma'r adeg pan ddaeth yr Anghydffurfwyr neu'r Ymneilltuwyr (*Dissenters*) i fodolaeth am y tro cyntaf. Bu llawer o ragfarn yn eu herbyn a chawsant eu herlid; ond ar ôl y Ddeddf Goddefiad (1689) cawsant yr hawl i addoli fel y mynnent. O 1739 ymlaen fe dyfodd yr hyn sy'n cael ei alw y Diwygiad Methodistaidd yn fudiad o fewn Eglwys Loegr o dan ddylanwad John Wesley. Roedd arweinwyr Methodistiaeth yng Nghymru yn y ddeunawfed ganrif, fel Daniel Rowland a Howell Harries, yn aelodau o'r eglwys wladol ar hyd eu hoes. Roedd yn llawer diweddarach pan ymwahanodd y Methodistiaid oddi wrth yr eglwys wladol yn Lloegr ac yng Nghymru ac ymuno â rhengoedd yr Anghydffurfwyr.

Gellir olrhain dechreuadau Ymneuilltuaeth ym Môn yn y 1730au; mae enw William Pritchard, Clwchdernog, Llanddeusant ymysg enwogion anghydffurfiol y cyfnod cynnar hwn. Bu sawl arweinydd anghydffurfiol cynnar, fel Howell Harries, Daniel Rowland, Peter Williams (Caerfyrddin) a William Williams (Pantycelyn) yn ymweld ag Ynys Môn yn y 1740au yn pregethu a cheisio rhoi hwb i'r achosion. Ymwelodd John Wesley â'r ynys hefyd. Ond nid oedd croeso mawr iddynt bob tro. Dioddefodd llawer o'r arloeswyr anghydffurfiol gryn dipyn o erledigaeth. Ceir rhagor o hanes rhai o arweinwyr a phregethwyr anghydffurfiol ym Mhennod 2.

Roedd yr anghydffurfwyr wedi'u rhannu i bedwar prif enwad: yr Annibynwyr, y Bedyddwyr, y Methodistiaid Calfinaidd a'r Methodistiaid Wesleaidd. Yn y cyfnod cynnar fe fyddai achos anghydffurfiol yn aml ar ffurf grŵp o bobl yn cyd-addoli mewn tai annedd neu ffermydd. Fel y cynyddai nifer yr addolwyr, adeiladwyd ysgoldy bychan (neu Ysgol Sul), weithiau yn gangen o gapel arall yn y cyffiniau. Yn raddol, fe fyddai cyfarfodydd gweddi ac ambell bregeth yn cael eu cynnal. Pan ddoi'r achos yn fwy hyderus, fe fyddai galw am adeiladu capel. Petai hynny'n digwydd, fe fyddai'r capel newydd yn aml yn gangen o'r capel arall, gyda'r addolwyr yn cael eu hystyried yn aelodau'r prif gapel. Ymhen amser byddai'r capel newydd yn cael ei gorffori'n eglwys, hynny ydi, ei ddatgan yn ffurfiol yn achos annibynnol o fewn yr enwad.

Yr eglwys anghydffurfiol gyntaf ym Môn oedd y gynulleidfa o Annibynwyr yn fferm Caeau Môn (ger Mona) yn 1744. Adeiladwyd y capel cyntaf gan yr Annibynwyr ar dir Tynyraethau, Rhosmeirch tua 1748. Yn 1763 cododd yr Annibynwyr eu hail gapel sef Capel Mawr, Llangristiolus. Yn yr un plwyf codwyd capel cyntaf y Methodistiaid Calfinaidd yn y sir, sef Capel Horeb, yn 1764. Ychydig yn ddiweddarach dechreuodd y Bedyddwyr ar yr ynys (adeiladwyd eu capel cyntaf yng Nghhildwrn, Llangefni yn 1782), ond ni adeiladwyd y capel cyntaf gan y Wesleaid (yn Nhrefor) tan 1804.

Dechreuodd yr Anghydffurfwyr ennill tir yn eithaf cyflym o'r 1780au ymlaen, ac erbyn dechrau'r bedwaredd ganrif ar bymtheg roedd y gwahanol enwadau wedi sefydlu eu hunain yn gadarn yng Nghymru. Yn yr hanner can mlynedd nesaf bu twf anferth yn eu dylanwad a'u grym. Yng Nghymru ymwahanodd y Methodistiaid Cymreig, yn cael eu harwain gan John Charles (Y Bala), oddi wrth yr eglwys wladol yn 1811.

Adeiladwyd capeli ar raddfa anferth, yn arbennig felly yng Nghymru. Yn ystod hanner cyntaf y bedwaredd ganrif ar bymtheg dywedir bod un capel ar gyfartaledd yn cael ei adeiladu bob wyth diwrnod. Erbyn 1820 y nifer o gapeli gan y gwahanol enwadau ar Ynys Môn oedd: Methodistiaid Calfinaidd 32, Annibynwyr 15, Wesleaid 14 a'r Bedyddwyr 16.

Yn ystod y 1830au a'r 1840au roedd sawl terfysg cyhoeddus yng Nghymru, e.e. Terfysgoedd Merthyr a Therfysgoedd Beca. Comisiynwyd nifer o adroddiadau gan y Llywodraeth a chyhoeddwyd y canlyniadau (y Llyfrau Gleision) yn 1847. Roedd cynnwys yr adroddiadau, a luniwyd gan dri o Saeson Anglicanaidd, yn feirniadol o'r iaith Gymraeg a moesau'r Cymry. Y canlyniad oedd dadl danbaid rhwng yr Anghydffurfwyr a'r Eglwys Anglicanaidd. Cafodd yr effaith o droi pobl yn erbyn yr eglwys ac roedd llawer yn credu bod yr eglwys wladol yn bresenoldeb estron yng Nghymru. Cyfeirir yn aml at yr helynt hwn fel 'Brad y Llyfrau Gleision'.

Erbyn canol y bedwaredd ganrif ar bymtheg roedd aelodau Eglwys Loegr yn y lleiafrif, cymaint oedd llwyddiant yr achosion ymneilltuol. Rhan o lwyddiant y capeli oedd eu bod wedi'u hadeiladu yn nes at y canolfannau poblog, yn wahanol i nifer o'r eglwysi gwladol a oedd mewn mannau anghysbell ac anghyfleus. Rhaid cofio bod yr eglwysi wedi'u sefydlu ers canrifoedd lawer, a bod symudiadau poblogaeth wedi digwydd dros y blynyddoedd.

Yn anochel, wrth gwrs, ar Ynys Môn fe sefydlwyd nifer o gapeli mewn ardaloedd gwledig. Mewn rhai achosion tyfodd cymuned o gwmpas y capel anghydffurfiol ac fe enwyd y pentref ar ôl y capel. Mae sawl enghraifft o'r fath ar Ynys Môn, er enghraifft, Hermon (Bodorgan) a Nebo (ger Penysarn, Amlwch).

Yn ystod y bedwaredd ganrif ar bymtheg bu sawl diwygiad, hynny ydi cyfnod o sêl grefyddol. Yn wir, cyfeiriwyd at Gymru gan rai fel gwlad y diwygiadau. Yng Nghymru ac Ynys Môn, gwelwyd sawl diwygiad, er enghraifft 1822, 1839-40, 1859 a 1876 (Diwygiad Richard Owen – gweler Pennod 2). Diwygiad 1859 oedd y mwyaf o'r rhain, a bu disgwyl mawr am ddiwygiad tebyg arall. Digwyddodd hynny yn 1904-05 a phrofodd y diwygiad hwnnw i fod y mwyaf oll, a hefyd y diwethaf. Yr enw a gysylltir gyda'r diwygiad hwn oedd y pregethwr carismataidd Evan Roberts (gweler Pennod 2). Gyda phob diwygiad daeth twf yn nifer yr addolwyr, ac roedd capeli cymharol newydd yn cael eu dymchwel a chapeli newydd helaethach a mwy ysblennydd yn cael eu codi yn eu lle. Ambell waith roedd y capeli'n elwa am resymau eraill. Dywedir bod achosion o'r colera ar Ynys Môn yn 1849; oherwydd y pryder ynglŷn â'r afiechyd hwn daeth niferoedd helaeth i addoli ac i weddïo. Roedd adeiladau'r capeli yn amrywio'n fawr iawn. Ar ddechrau'r bedwaredd ganrif ar bymtheg, adeiladau cymharol fychan a diaddurn oedd y capeli anghydffurfiol. Ond fel roedd y gwahanol enwadau yn cryfhau, daeth y capeli yn helaethach ac yn harddach. Yn hanner olaf y bedwaredd ganrif ar bymtheg, cyflogwyd penseiri proffesiynol i gynllunio nifer o gapeli, a daeth sawl pensaer yn enwog am y math hwn o waith. Ar Ynys Môn mae nifer o gapeli bach gwledig i'w gweld (e.e. Beulah, ger Aberffraw) yn ogystal â chapeli eithriadol o hardd (e.e. y Capel Mawr, Porthaethwy). Ceir mwy o fanylion am benseiri'r capeli ym Mhennod 5.

Bu twf sylweddol yn nifer y dosbarth canol yn ystod y cyfnod Fictoraidd, a'u haelioni hwy a fu'n gyfrwng i adeiladu sawl capel. Roedd nifer o gymwynaswyr hael, y mwyaf nodedig ohonynt oedd y teulu Davies o Borthaethwy. Roedd y teulu hwn wedi gwneud eu cyfoeth o fasnach, ac roedd eu haelioni tuag at gapeli'r Methodistiaid Calfinaidd ar Ynys Môn a thu hwnt yn wirioneddol syfrdanol (gweler Pennod 6).

Yn ôl cyfrifiad crefyddol a gynhaliwyd yn 1851, y nifer o gapeli gan y gwahanol enwadau ar Ynys Môn oedd: Methodistiaid Calfinaidd 65, Annibynwyr 33, Bedyddwyr 22, Wesleaid 20 (cyfanswm 140). Dengys y ffigyrau mai'r Methodistiaid Calfinaidd oedd yr enwad cryfaf o bell ffordd; dywedodd rhywun rhyw dro mai capel Methodist mawr fyddai Ynys Môn petai'n bosibl gosod to arni. Yng Nghymru yn gyffredinol, dangosodd yr un cyfrifiad bod oddeutu 87% o'r addolwyr yn Anghydffurfwyr – cyfartaledd llawer uwch nag yn Lloegr. Wrth gwrs fe fu cynnydd pellach yn y nifer o gapeli yn ystod gweddill y ganrif, ac ar drothwy'r ugeinfed ganrif roedd y nifer yn llawer uwch. Parhawyd i adeiladu capeli hyd at y Rhyfel Byd Cyntaf. Ond ar ôl y Rhyfel daeth diweithdra a dadrithiad a bu diwedd ar yr adeiladu.

Erbyn canol y bedwaredd ganrif ar bymtheg capelwyr oedd y rhan helaethaf o'r gymdeithas ynghyd â chyfartaledd uchel o'r rhai a oedd yn ymwneud â bywyd gwleidyddol, diwylliannol a chymdeithasol y genedl. Roedd eu dylanwad yn sylweddol a pharhaodd y dylanwad hwn ymhell i mewn i'r ugeinfed ganrif.

Trwy gydol yr ugeinfed ganrif edwino fu hanes y capeli; dechreuodd y broses yn araf pan gaewyd ambell i achos gwan fel capel y Wesleaid yn Niwbwrch. Ond cyflymodd y broses, yn enwedig felly ar ôl yr Ail Ryfel Byd. Rhaid cofio y bu nifer o bobl a oedd wedi profi tân Diwygiad 1904-05 farw yn ystod y 1960au a'r 1970au. Fe gaewyd nifer o gapeli oherwydd lleihad yn y gynulleidfa ac oherwydd costau cynyddol cynnal hen adeiladau. Cafodd nifer eu troi'n gartrefi, eraill yn adeiladau busnes, ond fe chwalwyd cryn nifer. Yn ôl rhai amcangyfrifon, mae cyfradd cau capeli yn yr unfed ganrif ar hugain yn debyg iawn i'r gyfradd agor capeli newydd yn hanner cyntaf y bedwaredd ganrif ar bymtheg. Mae cau capeli yn golled ysbrydol ond hefyd mae perygl y gall nifer o adeiladau o bensaernïaeth bwysig ddiflannu.

Mewn arolwg a gynhaliwyd yn 2000, y nifer o gapeli gan y prif enwadau ar Ynys Môn oedd: Methodistiaid Calfinaidd (neu'r Presbyteriaid fel y'u gelwir heddiw) 71, Annibynwyr 30, Bedyddwyr 25, a'r Wesleaid 8 (cyfanswm 132), gydag ychydig o gapeli Efengylaidd. Yn 2001 dangosodd y cyfrifiad bod y cyfartaledd a oedd yn mynychu addoldy yn rheolaidd ar y Sul yng Nghymru yn llai na 10% (ac yn is na'r canran yn Lloegr a'r Alban). Felly yn ystod yr ugeinfed ganrif newidiodd Cymru o fod yn un o'r gwledydd mwyaf crefyddol yn y byd i un o'r rhai lleiaf crefyddol.

Y Presbyteriaid (Methodistiaid Calfinaidd) oedd yr enwad anghydffurfiol mwyaf dylanwadol yng Nghymru. Ond er gwaethaf eu cryfder blaenorol, yn 2003 roedd ganddynt dros 800 o gapeli yng Nghymru ond dim ond oddeutu 80 o weinidogion llawn amser. Ymddengys hefyd bod y nifer o fyfyrwyr sy'n hyfforddi i fod yn weinidogion yn argyfyngus o isel. Beth fydd cyflwr yr achosion a thynged y capeli ymhen hanner can mlynedd arall tybed?

Pennod 2

Arweinwyr anghydffurfiol
a chewri'r pulpud

Mae pob mudiad yn cynhyrchu arweinwyr ac nid oedd yr enwadau anghydffurfiol yn eithriad. Wrth gwrs roedd gwreiddiau cynharaf Anghydffurfiaeth y tu allan i Gymru, ac fe gysylltir enwau fel John Wesley (1703-1791) a Charles Wesley (1707-1788) gyda'r cyfnod cynnar yn Lloegr.

Fe sefydlwyd Methodistiaeth gan John Wesley a oedd yn offeiriad gydag Eglwys Loegr. Roedd y Diwygiad Methodistaidd hwn yn fudiad o fewn Eglwys Loegr. Hanfod Methodistiaeth i John Wesley oedd yr hyn a elwir yn Berffeithrwydd Cristnogol a mynnodd bod y mudiad newydd o fewn terfynau'r eglwys wladol. Felly parhaodd John Wesley yn aelod o Eglwys Loegr ar hyd ei oes. Ar ôl ei farwolaeth ymwahanodd y Methodistiaid oddi wrth yr Anglicaniaid – digwyddodd hyn yn 1795. Ni ddigwyddodd yr ymwahaniad hwn yng Nghymru tan 1811. Daeth John Wesley i Gymru nifer o weithiau a daeth i Ynys Môn pan oedd ar ei ffordd i'r Iwerddon; bu'n pregethu yn Llanddaniel yn 1748. Er bod Charles Wesley hefyd yn aelod o fudiad y Methodistiaid, fe gofir amdano yn bennaf fel awdur miloedd o emynau a barddoniaeth.

Yng Nghymru roedd arweinwyr y cyfnod cynnar yn cynnwys Howell Harries, Griffith Jones, Peter Williams, Daniel Rowland a William Williams (Pantycelyn), enwau mawr sy'n parhau'n adnabyddus yng Nghymru a thu hwnt dair canrif yn ddiweddarach.

Griffith Jones (1683-1761)
Cofir Griffith Jones yn arbennig am sefydlu'r Ysgolion Cylchynol yn 1731. Dysgu'r werin i ddarllen oedd nod yr ysgolion hyn a Chymraeg oedd cyfrwng yr ysgolion ym mron pob rhan o Gymru. Roedd gan Griffith Jones gysylltiadau gydag arweinwyr y Diwygiad Methodistaidd

ond bu raid iddo fod yn ofalus nad oedd yn cael ei weld yn rhy glos atynt. Parhaodd yr ysgolion i ffynnu am rai blynyddoedd ar ôl ei farwolaeth, ond daeth y mudiad i ben yn 1779. Amcangyfrifir bod oddeutu 250,000 o bobl wedi cael rhyw gymaint o hyfforddiant i ddarllen – ffaith anhygoel o gofio nad oedd poblogaeth Cymru yn y cyfnod hwn ond tua 500,000. Pwysigrwydd yr Ysgolion Cylchynol oedd eu bod wedi arwain y ffordd i'r werin bobl allu darllen y Beibl. Fel y dywedodd John Wesley roedd yr Ysgolion Cylchynol wedi creu Cymru a oedd 'yn aeddfed ar gyfer yr Efengyl'.

Daniel Rowland (1713-1790)
Ordeiniwyd Daniel Rowland yn offeiriad yn yr eglwys wladol yn 1734. Fe atgyfnerthwyd ffydd Gristnogol Daniel Rowland o ganlyniad i glywed Griffith Jones yn pregethu yn 1735. Roedd Daniel Rowland yn bregethwr arbennig a daeth llawer o bell ac agos i wrando ar ei bregethau yn eglwys Llangeitho. Oherwydd ei gred fe gollodd ei swydd fel curad yn Llangeitho ond parhaodd i bregethu mewn capel a adeiladwyd yn unswydd iddo. Daeth Daniel Rowland i Ynys Môn yn 1743 a phregethodd ym mynwent eglwys Llannerch-y-medd. Ar ymweliad arall ym mis Hydref 1748 pregethodd yn eglwys y plwyf, Llannerch-y-medd.

Howell Harries (1714-1773)
Profodd Howell Harries dröedigaeth grefyddol yn yr eglwys yn Nhalgarth, Sir Frycheiniog. Cyn hir roedd yn pregethu mewn ardaloedd cyfagos ac yn fuan ar hyd a lled Cymru. Dywedir ei fod yn ddyn o ynni eithriadol ac yn bregethwr angerddol. Roedd Howell Harries yn credu y dylai'r Methodistiaid aros yn aelodau o'r eglwys wladol a derbyn cymun yn yr eglwys honno. Daeth Howell Harries i Ynys Môn yn Hydref 1747 a phregethodd mewn nifer o leoedd, yn cynnwys Llanfihangel Tre'r Beirdd a Llangefni. Cafodd groeso cynnes a dychwelodd i Fôn yn 1748, 1749 a 1750. Yn dilyn gwahaniaeth barn rhyngddo ac arweinwyr eraill Methodistiaeth, fe sefydlodd gymuned grefyddol yn Nhrefeca.

William Williams (1717-1791)
Ganwyd William Williams ym Mhantycelyn, Sir Drefaldwyn. Roedd William Williams o gefndir anghydffurfiol ond trodd at yr eglwys wladol ar ôl clywed Howell Harries yn pregethu. Daeth yn ddiacon yn 1740, ond gwaharddwyd ef rhag dod yn offeiriad oherwydd ei weithgaredd gyda'r Methodistiaid. Cofir amdano heddiw fel cyfansoddwr cannoedd o emynau Cymraeg a Saesneg, a chyfeirir ato fel 'Y Pêr Ganiedydd'. Daeth

yn flaenllaw yn y mudiad Methodistaidd a theithiodd ar hyd a lled Cymru yn pregethu a gwerthu ei lyfrau emynau. Daeth William Williams i Ynys Môn yn 1748 ac un o'r lleoedd y bu'n pregethu ynddo oedd Llanddaniel lle pregethodd yn Gymraeg. Roedd John Wesley hefyd yno, a phregethodd ef yn Saesneg.

Peter Williams (1723-1796)
Ganwyd Peter Williams yn Llansadyrnin yn Sir Gaerfyrddin. Cafodd dröedigaeth grefyddol wrth wrando ar yr arloeswr Methodistaidd Seisnig, George Whitefield. Daeth Peter Williams yn ddiacon yn yr eglwys wladol yn 1745 ond oherwydd ei dueddiadau Methodistaidd ni chafodd ei ordeinio'n offeiriad. Ymunodd â'r Methodistiaid yn 1747 a theithiodd ledled Cymru yn pregethu. Ystyrir ef yn un o brif arweinwyr y Methodistiaid cynnar; roedd hefyd yn fardd ac emynydd. Fe gofir amdano yn arbennig am gyhoeddi Beiblau gyda sylwadau ar gyfer pob pennod. Roedd 'Beibl Peter Williams' mewn bri mawr am flynyddoedd a gwerthwyd miloedd o gopïau. Tua diwedd ei oes bu ffrae rhyngddo ef a'r Methodistiaid a chafodd ei ddiarddel yn 1791. Daeth Peter Williams i Ynys Môn yn 1747 ond ni chafodd groeso ym mhobman. Er hynny, ymwelodd â'r ynys unwaith eto yn 1748.

Thomas Charles (1755-1814)
Yn dilyn marwolaeth arweinwyr cyntaf y Diwygiad Methodistaidd yng Nghymru tua diwedd y ddeunawfed ganrif, daeth Thomas Charles i amlygrwydd fel arweinydd ail genhedlaeth y mudiad. Ganwyd ef yn Sir Gaerfyrddin a bu yng Ngholeg yr Iesu, Rhydychen, ac yno fe'i hurddwyd yn ddiacon yn Eglwys Loegr. Ymsefydlodd yn y Bala yn 1783 ar ôl priodi merch leol. Daeth yn rhan o'r mudiad Methodistaidd yn 1784 a bu'n gyfrifol am nifer o gyhoeddiadau pwysig yn cynnwys fersiwn newydd o'r Beibl a ymddangosodd yn 1814. Roedd Thomas Charles yn sylweddoli gwerth addysg ac fe anfonodd athrawon o ardal i ardal i ddysgu'r werin i ddarllen fel eu bod yn gallu darllen yr Ysgrythur yn Gymraeg. Dyma sut y daeth yr Ysgol Sul yn rhan hanfodol o Anghydffurfiaeth Cymru. Yr hanesyn mwyaf enwog am Thomas Charles yw bod Mary Jones wedi cerdded o Lanfihangel-y-Pennant i'r Bala i gael Beibl ganddo.

Mae hefyd nifer o enwogion oedd â chysylltiad agos gydag Ynys Môn oherwydd iddynt gael eu geni yma neu iddynt dreulio cryn amser ar yr ynys fel gweinidogion a phregethwyr. Yn eu mysg mae'r canlynol:

William Pritchard (1702-1773)
Fe anwyd William Pritchard yn 1702 ym mhlwyf Llanarmon, Sir Gaernarfon. Er iddo gael addysg dda, dewisodd fynd i amaethu. Daeth i gysylltiad gydag Anghydffurfwyr gyntaf yn ardal Pwllheli. Daeth i Ynys Môn yn 1742 a bu'n byw ym Mhlas Penmynydd ac ym Modlew, Llanddaniel. Dioddefodd erledigaeth oherwydd ei grefydd a gorfu iddo adael y lleoedd hyn. Ond cafodd denantiaeth Clwchdernog, Llanddeusant gan William Bulkeley, Brynddu yn 1752. Yn wahanol i rai arloeswyr anghydffurfiol roedd William Pritchard wedi gadael yr eglwys wladol a chofir amdano fel un o Annibynwyr cyntaf Ynys Môn. Adnabyddir ef gan amlaf fel William Pritchard, Clwchdernog. Mae cofgolofn iddo ym mynwent Capel Ebeneser (A), Rhosmeirch.

Jenkin Morgan (c.1716-1762)
Nid yw dyddiad na man geni Jenkin Morgan yn hysbys ond mae'n eglur mai un o'r de ydoedd. Tra yn ei ugeiniau daeth yn athro yn Ysgolion Cylchynol Griffith Jones. Yn 1740 roedd yn cadw ysgol gylchynol yng nghartref William Pritchard yn Sir Gaernarfon (cyn iddo symud i Glwchdernog). Ar ôl i William Pritchard symud i Ynys Môn aeth Jenkin Morgan yno hefyd. Cafodd ei urddo'n weinidog ar eglwys Annibynnol Caeau Môn yn 1746 ac fe gofir amdano fel gweinidog cyntaf yr Anghydffurfwyr ym Môn. Ddwy flynedd yn ddiweddarach adeiladwyd capel Rhosmeirch, capel cyntaf yr Annibynwyr ym Môn. Bu Jenkin Morgan yn ddiwyd yn teithio er mwyn casglu arian tuag at y capel. Bu hefyd yn gyfieithydd ar gyfer John Wesley yn ystod ei ymweliadau ag Ynys Môn.

Evan Richardson (1759-1824)
Ganwyd Evan Richardson yn Llanfihangel Genau'r Glyn. Sefydlodd ysgol yng Nghaernarfon yn 1787 a bu sawl pregethwr Methodist talentog (e.e. John Elias) yn astudio yno. Caeodd yr ysgol oherwydd gwaeledd Richardson yn 1817. Bu farw yn 1824 a'i gladdu ym mynwent Llanbeblig. Cofir amdano fel un o arloeswyr Methodistiaeth yng Nghaernarfon.

Jonathan Powell (1764-1823)
Jonathan Powell oedd arweinydd pwysica'r Annibynwyr ddechrau'r bedwaredd ganrif ar bymtheg. Ganwyd ef yn Nyfynog, Sir Frycheiniog yn 1764 a chafodd ei urddo yn weinidog yn 1790 a daeth i Rosmeirch ger Llangefni yn 1798. Roedd yn gofalu am gapel Rhosmeirch a Chapel Mawr, Llangristiolus. Arhosodd ym Môn tan ei farwolaeth yn 1823. Fe'i claddwyd ym mynwent capel Rhosmeirch.

Christmas Evans (1766-1838)

Ganwyd Christmas Evans yn Ysgaerwen ym mhlwyf Llandysul, Ceredigion ar 25 Rhagfyr 1766. Bu farw ei dad, Samuel, pan oedd Christmas yn naw oed, a bu'n gweithio fel gwas fferm. Pan oedd yn 17 oed daeth o dan ddylanwad y gweinidog Presbyteraidd David Davies a dysgodd ddarllen ac ysgrifennu yn Gymraeg a Saesneg. Yn fuan roedd Christmas Evans wedi ymuno â'r Bedyddwyr; bedyddiwyd ef yn 1788. Tua'r amser hwn cafodd Christmas Evans anaf drwg i'w lygad dde, ac mae pob darlun ohono yn dangos y llygad hon ar gau. Yn 1789 aeth i Lŷn lle bu'n pregethu am ddwy flynedd. Yn ystod y cyfnod hwn priododd â Catherine Jones. Dechreuodd ei enwogrwydd fel pregethwr pwerus tua'r un adeg. Yna symudodd i Ynys Môn lle sefydlodd gymuned o Fedyddwyr. Cysylltir Christmas Evans yn arbennig â Chapel Cildwrn, ger Llangefni. Mae'r capel hanesyddol hwn yn parhau i sefyll er mai Eglwys Efengylaidd Gymraeg sydd yn defnyddio'r adeilad bellach (gweler Pennod 7). Yn ystod ei arhosiad ym Môn sefydlwyd nifer o gapeli newydd ac arferai Christmas Evans deithio ar hyd a lled Cymru yn rheolaidd i gasglu arian er mwyn talu dyledion y capeli ym Môn. Yn 1826 dychwelodd i Dde Cymru ond daeth yn ôl i'r gogledd (i Gaernarfon) yn 1832. Bu farw yn 1838 tra ar daith yn y de. Adeiladwyd Capel Penuel (B), Llangefni (oddeutu milltir o Gapel Cildwrn) fel capel coffa i Christmas Evans.

Richard Lloyd (1771-1834)

Ganwyd Richard Lloyd ym mhlwyf Llantrisant, Môn. Roedd ei fam, Jane, yn ferch i William Pritchard, Clwchdernog. Ymunodd Richard Lloyd â Seiat Fethodistaidd yng Ngwalchmai yn 1789 a dechreuodd bregethu yn 1794. Roedd yn cadw siop ddillad ym Miwmares a chysylltir ef yn bennaf gyda Methodistiaeth y dref honno. Ordeiniwyd yn weinidog gyda'r Methodistiaid yn 1811. Roedd yn fardd yn ogystal â phregethwr. Claddwyd ef ym mynwent eglwys Llanfaes ger Biwmares.

John Elias (1774-1841)

Ganwyd John Elias yn Abererch, Pwllheli ar 6 Mai 1774. Dysgodd ddarllen Cymraeg a Saesneg yn ifanc iawn. Pan oedd yn ugain oed dechreuodd bregethu gyda'r Methodistiaid ac roedd yn enwog fel pregethwr angerddol yn lled fuan. Yn 1799 symudodd i Ynys Môn a phriododd gyda Elizabeth Broadhead (o Laneilian) yn yr un flwyddyn. Cafodd ei ordeinio'n weinidog gyda'r Methodistiaid Calfinaidd yn 1811. Cawsant bedwar o blant, er bu farw dau yn ifanc. Yn dilyn marwolaeth ei wraig, ail-briododd gyda Lady Bulkeley. Symudodd y ddau i fyw i Langefni yn 1830. Bu'n byw yno tan ei farwolaeth yn 1841. Claddwyd ef ym mynwent eglwys Llanfaes a chredir bod cymaint â deng mil o bobl wedi mynychu ei angladd – yr angladd mwyaf a welwyd ar Ynys Môn erioed. Adeiladwyd Capel Moreia ddiwedd y bedwaredd ganrif ar bymtheg fel Capel Coffa i John Elias.

William Roberts (1784-1864)

Ganwyd William Roberts ym mhlwyf Llaneilian. Prin y cafodd erioed unrhyw addysg o gwbl a bu'n gweithio yng nghloddfeydd Mynydd Parys am gyfnod. Daeth yn flaenor gyda'r Methodistiaid yn Amlwch pan oedd yn 21 oed a dechreuodd bregethu pan oedd yn 23 oed. Cafodd ei ordeinio'n weinidog yn 33 oed. Roedd yn fasnachwr yn ardal Amlwch. Ystyrir mai William Roberts oedd olynydd John Elias. Bu farw yn 1864 – dywedir bod ei angladd y mwyaf ers angladd John Elias yn 1841.

William Thomas (1790-1861)

Ganwyd William Thomas yn Amlwch. Mynychodd wasanaethau Wesleaidd ym Modedern pan oedd yn ifanc ar ôl i'r teulu symud yno i fyw. Bu hefyd yn gysylltiedig â'r Wesleaid yn Aberffraw ac yng Nghaergybi. Roedd yn gyfrwywr wrth ei alwedigaeth. William Thomas oedd y pregethwr cyntaf a fagwyd gyda'r Wesleaid ar Ynys Môn. Yn ogystal ysgrifennodd ychydig o emynau.

Owen Owens (1794-1838)

Roedd Owen Owens yn byw ym mhlwyf Llaneilian ac yn bregethwr cynorthwyol gyda'r Wesleaid. Cofir amdano heddiw nid oherwydd ei ddawn fel pregethwr ond yn hytrach fel prif ddyn y 'Wesle Bach'. Ar ddechrau'r 1830au roedd peth anniddigrwydd yn bodoli ymhlith rhai o bregethwyr cynorthwyol y Wesleaid ynghylch eu tâl ac awdurdod y gweinidogion Wesleaidd. Yn 1831 penderfynodd tua dwsin o bregethwyr cynorthwyol Wesleaidd, gydag Owen Owens fel arweinydd, adael y Wesleaid a ffurfio enwad newydd; dyma oedd dechrau mudiad y 'Wesle Bach'. Ym Modedern y dechreuodd y mudiad hwn. Fe brofodd beth llwyddiant ar Ynys Môn a thu hwnt ond yn raddol daeth y capeli a oedd wedi ymuno â'r Wesle Bach yn ôl at y prif enwad. Heb amheuaeth bu'r rhwyg hwn yn rhwystr i ffyniant y Wesleaid ym Môn. Y Wesleaid oedd yr enwad anghydffurfiol gwanaf ar Ynys Môn yn ystod y bedwaredd ganrif ar bymtheg.

James Donne (1822-1905)
Roedd James Donne yn weinidog gyda'r Methodistiaid Calfinaidd ac yn enedigol o'r Bala. Dechreuodd bregethu yn 1840 a daeth i Langefni yn 1846. Roedd yn cyfuno bywyd y pulpud gyda busnes adeiladu a siop groser yn Llangefni lle bu'n pregethu am flynyddoedd.

Rowland Williams (1823-1905)
Ganwyd ym mhlwyf Trefdraeth a chafodd ei fagu yn Rhostrehwfa. Er iddo fynychu capel y Methodistiaid Calfinaidd hyd yn 14 oed, trodd wedyn at yr Annibynwyr yng Nghapel Smyrna, Llangefni. Aeth i Goleg y Bala yn 1847 i hyfforddi ar gyfer y weinidogaeth. Bu'n weinidog yng ngogledd Cymru ac yn Llundain (o 1867) cyn dychwelyd i Lannerch-y-medd, Môn (1881-1888). Cofir amdano heddiw fel bardd (Hwfa Môn) ac Archdderwydd Cymru (rhwng 1895 a 1905). Dywedir ei fod yn bregethwr huawdl, er braidd yn hirwyntog.

Simon Alexander Fraser (1836-1895)
Roedd Simon Fraser yn frodor o Amlwch. Dechreuodd bregethu pan yn 21 oed ac ordeiniwyd ef yn weinidog gyda'r Methodistiaid Calfinaidd yn 1867. Bu'n weinidog yn Llanfairpwll, Rhoscolyn a Phorthaethwy. Mae ei fedd ym mynwent Llandysilio.

Henry Rees (1837-1908)
Roedd Henry Rees yn fab i'r Parchedig William Rees DD (Gwilym Hiraethog). Dechreuodd bregethu yn bedair ar bymtheg oed. Yn 1885 daeth i Fryngwran lle bu'n weinidog gyda'r Methodistiaid Calfinaidd tan ei ymddeoliad yn 1897. Fe'i claddwyd ym mynwent eglwys Llanfair-yn-neubwll, ger Y Fali. Mae'n ddiddorol nodi ei fod yn nai i Henry Rees (1798-1869), un o weinidogion Methodistaidd mwyaf dylanwadol canol y bedwaredd ganrif ar bymtheg, sydd wedi'i gladdu ym mynwent Llandysilio, Porthaethwy. Roedd merch yr Henry Rees hwn, sef Ann, yn wraig i'r gŵr busnes cyfoethog Richard Davies (1818-1896), un o gymwynaswyr mwyaf y Methodistiaid Calfinaidd.

Richard Owen, y Diwygiwr (1839-1887)
Ganwyd Richard Owen yn Ystum Werddon, Llangristiolus yn 1839. Dechreuodd ymddiddori yn y Beibl pan oedd yn ifanc iawn a derbyniwyd ef yn gyflawn aelod o Gapel Horeb (P), Llangristiolus pan oedd ond yn ddeg oed. Daeth yn bregethwr poblogaidd ac yn weinidog gyda'r Methodistiaid Calfinaidd. Bu'n weinidog yn Llundain am gyfnod yn y 1870au cynnar ond dychwelodd i Langristiolus. O 1876 ymlaen bu

diwygiad mewn rhannau o Ynys Môn a mannau eraill a Richard Owen oedd yr un a fu tu cefn i'r adfywiad hwnnw. Cofir amdano fel Diwygiad Richard Owen. Roedd galw mawr amdano fel pregethwr ac roedd ganddo amserlen brysur. Yn dilyn pregeth ym Mhentraeth yn 1887 cymerwyd ef yn wael a bu farw. Claddwyd ef ym mynwent eglwys Llangristiolus.

Dr John Williams (1853-1921)
Ganed John Williams yng Nghae-y-Gors, Llandyfrydog a mynychodd Ysgol Sul Capel y Parc (P) lle roedd ei dad yn flaenor. Cafodd addysg breifat ym Miwmares a Phorthaethwy. Dechreuodd bregethu yn 1873 ac ordeiniwyd ef yn 1878. Roedd ganddo ddiddordeb arbennig mewn dirwest. Bu'n weinidog ar Gapel Horeb (P), Brynsiencyn rhwng 1878 a 1895. Yn ystod ei weinidogaeth yno adeiladwyd y capel presennol. Oherwydd ei enwogrwydd fe ddaeth enw pentref Brynsiencyn yn gyfarwydd trwy Gymru. Yn ddiweddarach bu'n weinidog ar Gapel Princes Road, Lerpwl. Dychwelodd i Fôn yn 1906 ac yn ystod y Rhyfel Byd Cyntaf bu'n gaplan yn y fyddin. Bu'n weithgar iawn yn recriwtio dynion i'r lluoedd arfog, yn arbennig yn yr ardaloedd gwledig Cymraeg eu hiaith. Tra mewn cyfarfod sefydlu yn Seion (P), ger Llannerch-y-medd, ar 4 Hydref 1921 aeth yn wael a bu farw ar 1 Tachwedd 1921.

Thomas Charles Williams (1868-1927)
Ganwyd Thomas Charles Williams yng Ngwalchmai. Cafodd addysg dda, yn cynnwys cyfnod yng Ngholeg yr Iesu, Rhydychen. Daeth Thomas Charles Williams yn syth o Rydychen i Borthaethwy yn 1897 fel gweinidog Capel Mawr (P), Porthaethwy ac arhosodd yno tan ei farwolaeth. Dywedir ei fod yn bregethwr ardderchog a daeth yn enwog a dylanwadol gyda'r Methodistiaid drwy holl wledydd Prydain.

Evan Roberts (1878-1951)
Daeth Evan Roberts yn enwog ar hyd a lled Cymru gan mai ef yn bennaf oedd arweinydd Diwygiad enwog 1904-05 er nad oedd yn weinidog ar gapel o gwbl. Teithiodd yn helaeth ar draws Cymru a daeth i Ynys Môn yn haf 1905. Pregethodd mewn nifer o gapeli'r Methodistiaid (Amlwch, Cemaes, Llannerch-y-medd, Llanddeusant, Llangefni a Thynygongl) ac mewn mannau eraill yn yr awyr agored. Dros gyfnod cymharol fyr y Diwygiad trefnwyd miloedd o gyfarfodydd wedi'u harwain gan Evan Roberts a nifer fawr o bregethwyr eraill. Amcangyfrifir bod rhwng 80,000 a 150,000 wedi troi at grefydd yn ystod cyfnod y Diwygiad. Ond

amcangyfrifir hefyd bod gymaint â thri-chwarter ohonynt wedi ymlithro i ffwrdd erbyn dechrau'r Rhyfel Byd Cyntaf. Daeth arddull Evan Roberts yn batrwm ar gyfer y mudiad Pentecostaidd (a sefydlwyd yn yr Unol Daleithiau yn 1904) sydd heddiw â thros 110 miliwn o ddilynwyr ar draws y byd. Daeth cenhadaeth Evan Roberts i sylw'r wasg, nid yn unig yng Nghymru ond ar draws y byd, a daeth Evan Roberts yn bersonoliaeth adnabyddus. Yn dilyn y Diwygiad diflannodd Evan Roberts o sylw'r genedl a bu farw yn 1951.

Edward Tegla Davies (1880-1967)
Ganwyd Edward Tegla Davies yn Llandegla, Sir Ddinbych a bu'n weinidog gyda'r Wesleaid. Daeth i Ynys Môn ar ddechrau'r ugeinfed ganrif i weinidogaethu ym Mhorthaethwy. Yn ei hunangofiant *Gyda'r Blynyddoedd* (Gwasg y Brython, Lerpwl, 1952) ceir peth o hanes yr ardal a chapeli y Wesleaid yn ne-ddwyrain yr ynys.

Nid yw'r uchod ond enghreifftiau yn unig o'r enwogion a ddaeth o'r gwahanol enwadau anghydffurfiol. Cafwyd llawer mwy o bregethwyr a gweinidogion diwyd yn ogystal â blaenoriaid a swyddogion y capeli. Oes aur y pregethwyr mawr oedd y bedwaredd ganrif ar bymtheg a blynyddoedd cynnar yr ugeinfed ganrif. Mae sêl grefyddol yr oes honno wedi hen ddiflannu.

Pennod 3

Y bywyd anghydffurfiol

Roedd gormodedd o alcohol yn broblem yng Nghymru fel sawl gwlad arall ar ddechrau'r bedwaredd ganrif ar bymtheg, yn arbennig felly yn yr ardaloedd trefol a diwydiannol. Dechreuodd y Diwygiad Dirwestol yn yr America tua 1826. Yn y 1830au roedd cwyno hefyd mewn rhannau o Ynys Môn ynghylch meddwdod, ymddygiad gwrthgymdeithasol a diogi. Yn y cyfnod hwn roedd diodydd meddwol yn cael eu hystyried yn hanfodol. Roedd hefyd yn gyffredin i bobl a ystyrid yn bobl grefyddol fynychu tafarndai ac yfed gormod. Mae hyd yn oed straeon bod pregethwyr a diaconiaid yn mynychu'r dafarn ar ôl yr oedfa. Dechreuodd Cymdeithasau Cymedroldeb yn y 1830au a lledaenod eu dylanwad.

Roedd y Parchedig Evan Davies (a gysylltir â Chapel Ifan, Llannerch-y-medd) neu Eta Delta yn flaenllaw yn y mudiad dirwest. Dywedir iddo ef a'i wraig gymryd llw o lwyrymwrthodiad yn 1835. Aeth y mudiad o nerth i nerth ac arferid cynnal gorymdeithiau a chymanfaoedd i hyrwyddo dirwest. Heb amheuaeth, yr enwadau anghydffurfiol oedd y rhai mwyaf amlwg yn yr ymgyrch hon. O dipyn i beth daeth dirwest yn ffasiynol.

Sefydlwyd y *Band of Hope* yn 1847 yn Leeds er mwyn dysgu plant ynghylch peryglon alcohol ac erfyn arnynt i ddilyn llwybr cymedroldeb a llwyrymwrthodiaeth. Cymryd llw dirwest oedd un nodwedd. Yn dilyn Diwygiad 1859 y dechreuodd y Gobeithluoedd ymysg y plant yng Nghymru. Lledodd y mudiad yn gyflym iawn a bu'n llwyddiannus iawn ymhell i'r ugeinfed ganrif. Erbyn 1935 roedd y mudiad yn hawlio bron i 3,000,000 o aelodau ym Mhrydain. Ond erbyn y 1950au a'r 1960au roedd newidiadau cymdeithasol wedi effeithio ar y mudiad a'i bwrpas gwreiddiol wedi'i anghofio bron. Mae miloedd o Gymry yn cofio mynychu cyfarfodydd y *Band of Hope* ond prin oedd y pwyslais ar lwyrymwrthodiaeth yn y cyfnod diweddar.

Bu ymgais hefyd i drefnu tai bwyta heb alcohol ynddynt; ar Ynys Môn sefydlwyd mannau o'r fath yn Llangefni, Caergybi a Biwmares yn ogystal â'r *Coffee House* adnabyddus yn Llanfaethlu.

Yn dilyn ymgyrchu brwd pasiwyd y *Sunday Closing Act* yn 1881. Yng Nghymru yn unig oedd y mesur hwn yn weithredol; roedd yn enghraifft lle roedd grym Anghydffurfiaeth wedi llwyddo ac wedi cyfrannu at arbenigrwydd Cymru. I bobl o'r tu allan, fodd bynnag, roedd hyn yn tueddu i bortreadu Cymru fel gwlad sychdduwiol a chul. Ar ôl rhai blynyddoedd daeth yn arfer i gael pleidlais bob saith mlynedd ynghylch cau'r tafarndai ar y Sul. Yn raddol wrth gwrs, trodd y gwahanol siroedd yn 'wlyb' gan ddechrau gyda'r ardaloedd diwydiannol mwyaf dwyreiniol. Ond yr oedd yr ardaloedd gorllewinol mwyaf Cymraeg eu hiaith yn gwrthsefyll y duedd hon. Ymysg yr Anghydffurfwyr oedd y gwrthwynebiad mwyaf i unrhyw newid. Ond roedd y newidiadau cymdeithasol a ddechreuodd yn y 1960au a'r 1970au yn cael effaith yno hefyd. Parhaodd y drefn o gynnal pleidlais tan y 1990au ac erbyn hynny roedd Cymru gyfan wedi troi eu cefnau ar y Saboth sych.

Daeth Diwygiad 1904-05 ar adeg dda i atgyfnerthu grym Anghydffurfiaeth a oedd efallai yn dechrau gwegian ychydig erbyn dechrau'r ugeinfed ganrif. Cafodd y Diwygiad effaith ddramatig – gwelwyd gwerthiant cwrw a meddwdod yn gostwng. Honnodd rhai bod iaith aflednais yn diflannu a bod gweithwyr yn gweddïo yn y pyllau glo cyn dechrau ar ddiwrnod o waith. Daeth cymanfaoedd canu, cyfarfodydd crefyddol, cyfarfodydd darllen y Beibl yn gyffredin a daeth dirwest i mewn i fywyd rhai am y tro cyntaf. Gwelwyd cynnydd unwaith eto yn y nifer o gapeli oedd yn cael eu hadeiladu. Hefyd dywedir y bu lleihad mewn cefnogaeth tuag at gwmnïau drama, eisteddfodau ac yn arbennig gwahanol fathau o chwaraeon.

O ddyddiau cynharaf Anghydffurfiaeth daeth nifer o bregethwyr yn adnabyddus iawn. Rhain oedd arwyr, neu sêr, eu dydd. Lledaenodd eu henwogrwydd ar hyd a lled Cymru ar adeg pan nad oedd radio na theledu, a daeth pobl o bell ac agos i wrando ar y pregethwyr mawr pan oeddent yn ymweld ag ardal. Yn fynych roedd pregethau yn parhau am awr a mwy a chlywyd llawer o sôn am bechod a damnedigaeth gan bregethwyr angerddol a thanbaid. Roedd y papurau newydd Cymraeg a'r cylchgronau enwadol yn adrodd yr holl hanes mewn cyfnod pan oedd y wasg Gymraeg mewn cyflwr llawer gwell nag y mae heddiw. Er syndod i ni heddiw, efallai, nid oedd pregethwyr mawr hanner cyntaf y bedwaredd ganrif ar bymtheg yn weinidogion cyflogedig. Roedd yn rhaid iddynt gael ffynhonnell arall o incwm. Er enghraifft roedd y

Parchedig James Donne, un o fawrion y Methodistiaid Calfinaidd, yn berchen ar fusnes adeiladu a siop groser yn Llangefni. Y capel cyntaf i gyflogi gweinidog cyflogedig ym Môn oedd Capel Mawr, Porthaethwy. Roedd canu emynau yn rhan hanfodol o wasanaethau'r Anghydffurfwyr o'r dechrau. Sefydlwyd cymdeithasau cerddorol yng nghapeli'r Methodistiaid Calfinaidd ar Ynys Môn o'r 1830au ymlaen. Cyflwynwyd y system sol-ffa tua 1860 a bu hon yn rhan o fywyd cerddorol y genedl am genedlaethau wedi hynny. Cyhoeddwyd *Llyfr Tonau Cynulleidfaol* gan Ieuan Gwyllt (Y Parchedig John Roberts, 1822-1877). Daeth cymanfaoedd canu yn rhan o'r bywyd anghydffurfiol.

Er hynny peth prin iawn oedd offeryn cerdd mewn capeli anghydffurfiol. Yn ystod y 1870au dechreuwyd gosod organau yn y capeli am y tro cyntaf ac erbyn diwedd y ganrif roedd y mwyafrif o gapeli'n berchen ar organ.

Yn draddodiadol roedd pawb yn cael eu claddu ym mynwent eglwys y plwyf. Roedd y mynwentydd anghydffurfiol cyntaf ar Ynys Môn yn ardal Llangefni, mynwent gan y Bedyddwyr yng Nghapel Cildwrn, a mynwent yr Annibynwyr yn Rhosmeirch. Fel y cynyddodd hyder yr achosion anghydffurfiol daeth galw am iddynt gael eu mynwentydd eu hunain. Yn raddol yn ystod y bedwaredd ganrif ar bymtheg daeth mynwentydd gerllaw capeli anghydffurfiol yn fwy cyffredin, er bod y mwyafrif o gapeli yn parhau heb eu mynwentydd eu hunain. Prinder tir oedd un rheswm amlwg dros hyn. Agorwyd rhai mynwentydd cyhoeddus hollol anenwadol mewn ardaloedd trefol yr ynys o'r 1860au ymlaen, yn cynnwys Biwmares, Llangefni, Caergybi ac Amlwch (Burwen). Oherwydd bodolaeth y mynwentydd hyn, nid oes mynwent yn gyffredin o gwmpas capeli mewn ardaloedd trefol.

Yn 1837 rhoddodd y *Marriage Act* yr hawl i briodi mewn lleoedd heblaw eglwysi'r plwyf. Y prif leoedd i briodi oedd y Swyddfa Gofrestru a'r capeli anghydffurfiol. Ond roedd nifer o Anghydffurfwyr yn parhau i ddewis priodi yn eglwys y plwyf. Roedd hyn yn arferiad cyffredin i fyny at ddechrau'r ugeinfed ganrif.

Gellir dweud yn hawdd bod Anghydffurfiaeth nid yn unig yn grefydd ond hefyd yn ffordd o fyw. Roedd y capeli yn cynnig pob math o weithgareddau. Roedd rhywbeth yn digwydd yn y capel bob dydd o'r wythnos – cyfarfod gweddi, pregeth, Ysgol Sul, cymdeithas lenyddol, cyfarfodydd darllen, y Gobeithlu *(Band of Hope)* ac yn y blaen. Y capel oedd canolbwynt bywyd miloedd o deuluoedd ar hyd a lled Cymru. Ond roedd rheolau caeth ynghylch beth oedd yn weddus i'w wneud a beth oedd wedi'i wahardd. Roedd Ffeiriau Cyflogi yn rhan o fywyd cefn gwlad ers cenedlaethau, ond nid oedd yr Anghydffurfwyr yn ystyried ei bod yn weddus i'w cynnal ar y Sul. Roedd casglu broc môr (peth cyffredin iawn mewn lle fel Ynys Môn) yn cael ei ystyried yn lladrad gan rai arweinwyr anghydffurfiol a oedd yn danbaid yn erbyn yr arferiad. Ni ellid gwneud pethau eraill syml ar y Sul, megis gwau, hapchwarae, golchi dillad a chwarae pêl. Roedd arweinwyr y capeli yn Llanfair Pwllgwyngyll yn y 1890au yn feirniadol iawn o lanciau yn chwarae pêl-droed, er bach iawn o lwyddiant gafodd y capeli i roi terfyn ar yr arferiad. Ond ar ddiwedd 1904 daeth y Diwygiad a chynhaliwyd cyfarfodydd gweddi yn ddyddiol ac yn raddol fe ddiflannodd y diddordeb yn y bêl gron a chaeodd y clwb pêl-droed. Ni ffurfiwyd clwb pêl-droed yn y pentref wedyn tan ar ôl y Rhyfel Byd Cyntaf.

Hefyd aeth ymladd ceiliogod (arferiad yng nghefn gwlad Cymru ers canrifoedd) yn beth gwrthun. Roedd yr ethos anghydffurfiol yn rhoi pwysigrwydd mawr ar fod yn 'barchus.' Wrth gwrs roedd yr ethos cul hwn yn cael ei rannu gan nifer o bobl nad oeddynt yn mynychu'r capel nac unrhyw addoldy arall. Roedd llawer yn fodlon i dderbyn yr hinsawdd a oedd wedi'i creu gan y gweinidogion anghydffurfiol a'u cynulleidfaoedd.

Yn ystod yr ugeinfed ganrif daeth symudiad oddi wrth agweddau ffwndamentalaidd, a chlywyd llai am bechod a damnedigaeth, tân a brwmstan mewn pregethau. Roedd oes y pregethwyr tanbaid yn bloeddio o'r pulpud yn dirwyn i ben. Hefyd diflannodd peth o'r culni a oedd yn cael ei gysylltu â'r capeli. Roedd dau Ryfel Byd wedi gadael eu hôl ar yr hen Anghydffurfiaeth. Fel popeth arall mae'r bywyd anghydffurfiol wedi gorfod newid i gydymffurfio â threfn gymdeithasol newydd. Heddiw mae'r capeli yn gorfod cystadlu gydag adloniant seciwlar ac aeth yr hen ffwndamentaliaeth yn amherthnasol a diflannodd peth o'r hen gulni crefyddol.

Pennod 4

Enwau'r capeli

Yn wahanol i'r eglwysi Anglicanaidd, nid yw capeli wedi'u cysegru i seintiau. Mae'r rhan fwyaf o gapeli Môn wedi'u henwi ar ôl lleoedd yn yr Hen Destament, er enghraifft Seion, Horeb, Moriah ac yn y blaen. Dyma oedd yr arfer ers y dyddiau cynnar. Yr enwau mwyaf cyffredin ar gapeli'r ynys yw Ebeneser (11 capel), Bethel (11 capel) a Seion (10 capel). Un capel yn unig sy'n dwyn rhai enwau, e.e. Bosra (Penysarn), Beulah (Aberffraw) a Gad (Bodffordd).

Mae ambell i gapel yn dwyn yr enw Capel Mawr (er nad yw hwn bob tro yn enw swyddogol arno); mae hyn yn cyfeirio yn syml at y ffaith mai hwn yw'r capel mwyaf yn yr ardal. Mewn nifer o achosion, defnyddir enwau Cymraeg eraill, fel Hyfrydle (Caergybi), Noddfa (Caergybi) a Paradwys (Llanallgo).

Mae ambell i enw anghyffredin hefyd. Fel Capel Ifan yr adnabyddir capel yr Annibynwyr yn Llannerch-y-medd. Mae wedi'i enwi ar ôl Evan Davies, gweinidog y capel am gyfnod yng nghanol y bedwaredd ganrif ar bymtheg. Gweddol anghyffredin hefyd yw'r enw 'Capel y Drindod', sef capel y Presbyteriaid Cymraeg ym Miwmares.

Mae tuedd i gapeli Saesneg eu cyfrwng ddefnyddio enw hollol syml, fel Menai Bridge Presbyterian Church neu Amlwch Pentecostal Church, heb ddefnyddio enwau o'r Beibl o gwbl.

Mae'n ddefnyddiol i nodi bod y gair 'Methodist' wedi cael ei ddefnyddio yn draddodiadol yng Nghymru (ac yn arbennig felly yn y Gymru Gymraeg) i gyfeirio at y Methodistiaid Calfinaidd (neu'r Presbyteriaid). Yn Lloegr ac ymysg rhai grwpiau Saesneg eu hiaith yng Nghymru, ar y llaw arall, defnyddir y gair Methodist i gyfeirio at y Methodistiaid Wesleaidd. Felly mae'r capel a elwir yn 'Amlwch Methodist Church' yn gapel i'r Wesleaid Saesneg eu hiaith. Erbyn hyn mai tuedd gynyddol i'r Cymry Cymraeg hefyd ddefnyddio'r gair Methodistiaid (yn swyddogol o leiaf) i gyfeirio at y Wesleaid.

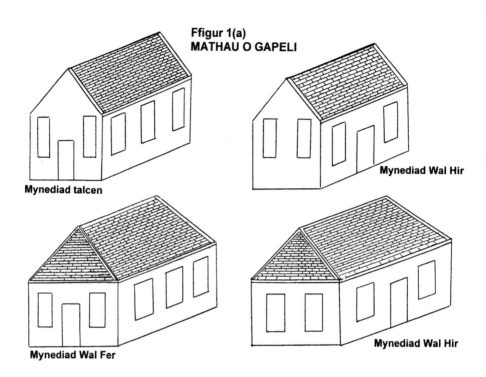

Ffigur 1(a)
MATHAU O GAPELI

Mynediad talcen

Mynediad Wal Hir

Mynediad Wal Fer

Mynediad Wal Hir

Ffigur 1(b)
PENSAERNÏAETH CAPELI

Y Dull Lleol
(e.e. Ebeneser (A), Llanfair Pwllgwyngyll)
Capel diaddurn syml yn aml heb bensaer
yn gyfrifol am ei gynllunio.

Pennod 5

Penseiri'r capeli

Heb amheuaeth mae'r capel yn rhan hanfodol o'r tirwedd ym mhob rhan o Gymru. Maent yn un o'r eiconau pensaernïol sy'n diffinio Cymru fel cenedl. Ni chynlluniwyd y capeli cyntaf gan benseiri. Cawsant eu hadeiladu gan adeiladwyr a oedd wedi cael eu syniadau o gapeli eraill neu o ddarluniau. Yn aml roeddent yn aelodau o'r capel. Roedd llawer o'r capeli cynnar hyn yn weddol debyg, ond roedd manylion (e.e. y ffenestri) yn amrywio yn ôl arferion lleol. Ar y cyfan roedd y capeli cyntaf yn adeiladau syml ac yn hollol wahanol i'r eglwysi Anglicanaidd. Roeddent yn weddol sgwâr gydag un elfen hanfodol bwysig, sef y pulpud. Ychydig yn ddiweddarach, fel roedd cynulleidfaoedd yn cynyddu a'r sefyllfa ariannol yn caniatáu, daeth yn gyffredin iawn i gael oriel ar dair ochr.

Fel roedd yr Anghydffurfwyr yn magu hyder ac yn cynyddu mewn niferoedd roedd arian ar gael i wella diwyg y capeli. Yn sgîl hynny daeth y capeli yn adeiladau harddach a helaethach tua chanol y bedwaredd ganrif ar bymtheg. Gwnaethpwyd defnydd eang o benseiri proffesiynol i gynllunio'r addoldai hyn. Daeth nifer o benseiri yn flaenllaw iawn yn y gwaith hwn, a chan bod cymaint o gapeli yn cael eu hadeiladu mae'n sicr ei fod yn waith proffidiol iawn. Cynlluniwyd nifer fechan o gapeli gan weinidogion a oedd wedi bod yn adeiladwyr neu'n grefftwyr cyn iddynt fynd i'r weinidogaeth. Mae'n syndod cyn lleied a wyddom am rai o'r penseiri hyn sydd wedi gwneud cymaint i gynllunio adeiladau eiconig.

Un pensaer proffesiynol oedd Richard Davies, yn enedigol o Lanfairfechan ac yn fab i saer a oedd yn gweithio o'i swyddfa yn Stryd Fawr, Bangor. Bu'n weithgar yn y maes hwn o 1870 tan flynyddoedd cynnar yr ugeinfed ganrif. Credir ei fod wedi cynllunio'r capeli canlynol: Hebron (W), Pontrhydybont (1874); Ebeneser (P), Llanfaethlu (1878); Nyth Clyd (P), Talwrn (1880); Ebeneser (P), Niwbwrch (1881); Gad (P),

Ffigur 1(c)
PENSAERNÏAETH CAPELI

Y Dull Pengrwn
(e.e. Talar Rodio (P), Aberffraw)
Dull cymharol syml ond y ffenestri
(ac efallai'r drysau) gyda
phennau crynion.

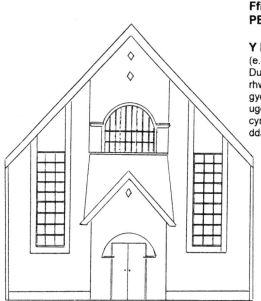

Ffigur 1 (ch)
PENSAERNÏAETH CAPELI

Y Dull Celf a Chrefft
(e.e. Preswylfa (P), Llanddaniel Fab)
Dull pensaernïol a oedd mewn bri
rhwng 1860 a 1910, ac yn boblogaidd
gyda phenseiri capeli ar ddechrau'r
ugeinfed ganrif. Rhai nodweddion oedd
cynteddau, ffenestri yn cynnwys nifer o
ddarnau o wydr a gro chwipio.

Bodffordd (1891); Peniel (P), Porth Amlwch (1900); Ysgoldy Llaethdy (P), Amlwch (1904), Capel Mawr (P), Amlwch (1905) (adeiladu cyntedd a sêt fawr).

Ganwyd Richard Owen (1831-1891) yn Y Ffôr ger Pwllheli. Symudodd i Lerpwl lle bu'n gweithio i gwmnïau adeiladu ac astudio i fod yn bensaer mewn ysgol nos. Yn 1862 sefydlodd ei gwmni ei hun a chafodd ei gytundeb cyntaf i gynllunio capel yn 1864. Credir iddo gynllunio cymaint â 250 o gapeli. Ar Ynys Môn, Richard Owen gynlluniodd gapel y Methodistiaid Calfinaidd yn Nwyran (1869).

Ganed Owen Morris Roberts (1833-1896) ym Mhenbedw ond symudodd ei deulu i Borthmadog yn 1850. Cynlluniodd ei gapel cyntaf yn 1868. Fe gynlluniodd Gapel Brynhyfryd (A), Caergybi (1880); Capel Horeb (P), Brynsiencyn (1883); Capel Hyfrydle (P), Caergybi (1887).

Pensaer adnabyddus arall oedd Richard Griffith Thomas (1849-1909) o Borthaethwy. Cynlluniodd ei gapel cyntaf pan oedd yn 22 oed. Cynlluniodd nifer o gapeli ar Ynys Môn, yn cynnwys y capeli Presbyteraidd Saesneg ym Mhorthaethwy (1888) a Biwmares (1876), Capel Gorslwyd (P), Rhosybol (1867), Hermon (A), Llangadwaladr (1871) a Chapel Tabor (P), Valley (1881). Bu farw yn 1909 o ganlyniad i ddamwain a chladdwyd ef ym mynwent Llandysilio.

Cynlluniodd y Parchedig Thomas Thomas (1817-1888) o Glandŵr, Abertawe nifer o gapeli yn cynnwys Capel Salem, Amlwch (1861), Tabernacl (A), Porthaethwy (1867), Tabernacl Newydd (A), Caergybi (1888). Dywedir fod Thomas Thomas wedi cynllunio cyfanswm o oddeutu mil o gapeli.

Cynlluniodd William Lloyd Jones o Fangor nifer o gapeli yn cynnwys capeli'r Wesleaid yn Aberffraw (Seion, 1887), Caergybi (Gwynfa, 1888), Rhosneigr (Horeb, 1904) a Llanfair-yng-Nghornwy (Nebo, 1896).

Pensaer arall a gynlluniodd nifer o gapeli oedd Joseph Owen (o Stryd y Rhiw, Porthaethwy). Bu'n gyfrifol am gynllunio Capel Hen Bethel (P), Llanrhuddlad (1904) ac Ebeneser (P), Llanfaethlu (1905).

Hugh Jones o Lanfechell gynlluniodd Hafod Las (P), Llanfechell, (1851); Bethlehem (P), Carreglefn (1854); Carmel (P), Llantrisant (1855).

Cynlluniodd Evan Roberts o Ddinbych Gapel Bethel (W), Caergybi (1808).

Wrth gwrs roedd ffasiwn ym myd pensaernïaeth fel ymhob maes arall, ac yn raddol newidiodd y dulliau pensaernïol fel aeth y bedwaredd ganrif ar bymtheg rhagddi. Daeth y dull Gothig, er enghraifft, yn fwyfwy poblogaidd yn arbennig felly gyda chynulleidfaoedd Saesneg eu hiaith.

Mae gwahaniaeth sylweddol rhwng pensaernïaeth gwahanol gapeli

Ffigur 1(d)
PENSAERNÏAETH CAPELI

Y Dull Lombardaidd
(e.e. Seion (W), Aberffraw)
Dull pensaernïol sy'n wreiddiol o ardal Lombardia yn yr Eidal. Rhai o nodweddion y dull hwn yw pedimentau(1) uwchben rhai ffenestri, ffenestri codi hanner crwn yn aml wedi'u grwpio'n dri, gwaith stwco a chornisiau(2).

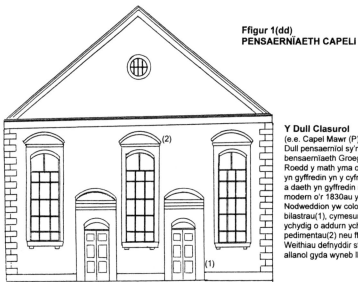

Ffigur 1(dd)
PENSAERNÏAETH CAPELI

Y Dull Clasurol
(e.e. Capel Mawr (P), Porthaethwy)
Dull pensaernïol sy'n seiliedig ar bensaernïaeth Groeg a Rhufain. Roedd y math yma o bensaernïaeth yn gyffredin yn y cyfnod Georgaidd, a daeth yn gyffredin mewn adeiladau modern o'r 1830au ymlaen. Nodweddion yw colofnau neu bilastrau(1), cymesuredd a chymharol ychydig o addurn ychwanegol heblaw pedimentau(2) neu ffrisiau. Weithiau defnyddir stwco (plastr allanol gyda wyneb llyfn).

ar yr ynys. Mae Ffigurau 1(a) – 1(dd) yn dangos mathau o gapeli ac enghreifftiau pensaernïol. Nid oes bwriad i'r manylion hyn fod yn gynhwysfawr a dylai unrhyw un sydd â diddordeb yn y maes hwn droi at lyfrau arbenigol am fwy o wybodaeth.

Pennod 6

Cymwynaswyr y capeli

Ers canrifoedd cafodd yr eglwys wladol gefnogaeth gan y tirfeddianwyr mawr, y rhan fwyaf ohonynt yn Anglicaniaid rhonc, i adeiladu ac ailadeiladu'r eglwysi. Bu haelioni'r Bulkeleys (Baron Hill, Biwmares), y Stanleys (o Gaergybi), y Meyricks (Plas Bodorgan) ac eraill yn fodd i gynnal adeiladau'r eglwys yn ardaloedd tlawd yr ynys. Pan ddechreuodd Anghydffurfiaeth nid oedd disgwyl i'r bobl hyn gefnogi'r capeli yn yr un ffordd. Yr oedd llawer o'r Anglicaniaid yn dra gwrthwynebus i'r capeli ar y dechrau, ac felly cymharol dlawd oedd yr achosion anghydffurfiol yn y dyddiau cynnar.

Ond roedd y werin bobl yn frwdfrydig o blaid y sêl grefyddol newydd ac yn hael eu cefnogaeth i'r capeli. Bu newidiadau cymdeithasol mawr yn ystod y bedwaredd ganrif ar bymtheg, ac fel aeth y ganrif yn ei blaen gwelwyd twf yn y dosbarth canol, a'i haelioni hwy oedd yn gyfrifol am adeiladu ac ailadeiladu nifer fawr o gapeli'r ynys.

Nid yw'n bosib anghofio'r teulu rhyfeddol hwnnw o Borthaethwy, sef y teulu Davies. Agorodd Richard Davies siop groser ym Mhorthaethwy yn gynnar yn y bedwaredd ganrif ar bymtheg. Bu farw yn 1849, ond fe barhaodd y busnes o dan reolaeth ei ddau fab, Robert (1816-1905) a Richard Davies (1818-1896). Aeth y busnes o nerth i nerth ac erbyn 1850 roedd gan y brodyr Davies fflyd o longau a oedd yn cludo nwyddau ac ymfudwyr i'r America. Priododd Richard Davies gydag Anne, unig blentyn y Parchedig Henry Rees (1798-1869). Roedd yn aelod seneddol dros Sir Fôn rhwng 1868 a 1886. Bu hefyd yn Arglwydd Raglaw rhwng 1884 a 1896. Roedd ei haelioni tuag at achosion y Methodistiaid Calfinaidd yn anhygoel. Cyfrannodd symiau mawr tuag at adeiladu capeli ar Ynys Môn a mannau eraill yn y gogledd. Claddwyd ef ym mynwent eglwys Llandysilio. Roedd ei frawd Robert Davies yn byw ym Modlondeb. Yn ystod ei oes credir iddo gyfrannu cymaint â £500,000 at wahanol achosion. Er enghraifft cyfrannodd £580 yn 1894 ar gyfer adeiladu Capel Gad (P), Bodffordd. Daeth busnes y teulu Davies i ben yn 1905.

Adeiladwyd capel yn 1862 ar gyfer Annibynwyr Llanfechell trwy haelioni dau frawd o'r enw Lewis, yn wreiddiol o Gemaes, a oedd wedi llwyddo ym myd busnes yn Lerpwl. Yn 1863 cyfrannodd William Bulkeley Hughes (1797-1882), Brynddu a Phlas Coch, dir ar gyfer ehangu mynwent y capel hwn. Rhoddodd y teulu Bulkeley Hughes hefyd dir i'r Annibynwyr i adeiladu capel yng Nghaergybi tua 1817.

Cyfrannodd Samuel Morley tuag at adeiladu'r Tabernacl, capel yr Annibynwyr ym Mhorthaethwy yn 1867. Roedd Samuel Morley (1809-1886) yn ddiwydiannwr o Sais, yn aelod seneddol Rhyddfrydol ac yn ddyngarwr gyda diddordeb yn y mudiad dirwest. Dywedir iddo gyfrannu £20,000 y flwyddyn am flynyddoedd tuag at achosion da.

Ond weithiau roedd haelioni yn mynd o chwith, fel y digwyddodd yn Niwbwrch yn 1880 pan fu anghydfod rhwng y Methodistiaid Calfinaidd a'r Methodistiaid Wesleaidd ynghylch dehongli ewyllys gŵr o Awstralia. Roedd Owen Hughes yn frodor o Niwbwrch a oedd wedi symud i New South Wales. Pan fu farw gadawodd £500 (swm mawr yn y dyddiau hynny) i'r 'Methodist Chapel in Newborough, Anglesey, North Wales'. Ei fwriad, mae'n debyg, oedd i Ebeneser, capel y Methodistiaid Calfinaidd elwa o'i haelioni. Penderfynodd capel y Wesleaid yn Niwbwrch wneud cais am yr arian, gan ddadlau mai nhw oedd y 'Methodist Chapel'. Ond collodd y Wesleaid yr achos ac ar ôl costau cyfreithiol, roedd £412 yn weddill i Gapel Ebeneser.

Pennod 7

Rhestr capeli Môn

Cofnodir yr addoldai anghydffurfiol yn ôl eu lleoliad yn bennaf yn hytrach nag yn ôl y plwyfi eglwysig traddodiadol. Mewn rhai achosion lle ceir capel mewn lleoliad gwledig, fe'i rhestrir o dan enw'r plwyf. Rhoddir cyfeirnod grid (ar gyfer map arolwg ordnans) ar gyfer pob un o'r capeli er mwyn eu lleoli'n union. Os rhoddir enw'r capel yn Saesneg, mae hyn yn dynodi mai achos Saesneg ei iaith sy'n bodoli yno. Mae capeli'r gwahanol enwadau wedi'u dangos yn Ffigurau 2(a) – 2(ch).

ABERFFRAW *Capel Beulah (P)*
Saif y capel oddeutu 1.2 milltir (1.9 km) i'r de-ddwyrain o bentref Aberffraw (er ei fod ym mhlwyf Llangadwaladr) mewn llecyn a elwir yn Pen y Cnwc. Cyfeirnod Grid SH 370 679.
Mae sôn bod achos wedi dechrau yn y cyffiniau mor gynnar â 1797, a bod y capel cyntaf yn dyddio o 1827. Adeiladwyd y capel presennol yn 1879 ar gost o £400 ac ychwanegwyd y tŷ capel yn 1898 ar gost o £250. Cyflwynwyd y brydles i'r capel gan berchennog y tir (Sir George Meyrick, Stad Bodorgan) yn 1921. Cafwyd organ yn y capel am y tro cyntaf yn 1939. Yn ystod yr Ail Ryfel Byd bu sôn y byddai'r Llu Awyr (roedd gwersyll ganddynt gerllaw) yn cymryd meddiant o'r capel at eu defnydd eu hunain, ond ni lwyddasant i'w gael. Cafwyd trydan yn y capel mor ddiweddar â 1966. Mae'r capel yn y dull Gothig syml gyda mynediad talcen. Credir mai Beulah yw'r capel Presbyteraidd lleiaf ar Ynys Môn os nad yng Nghymru gyfan. Mae'n parhau i gael ei ddefnyddio.

ABERFFRAW *Capel Dothan (P)*
Saif y capel yng ngogledd plwyf Aberffraw mewn lle sydd wedi mabwysiadu enw'r capel, sef Dothan. Cyfeirnod Grid SH 371 743.
Sefydlwyd Ysgol Sul mewn lle o'r enw Ponc yr Hen Efail oddeutu 1787. Credir bod capel wedi'i adeiladu tua 1829 a'i fod wedi'i ailadeiladu yn 1849. Ystyriwyd y capel yn gangen o Gapel Bryn Du, Llanfaelog. Fe gorfforwyd yr eglwys yn ffurfiol yn 1859 ac yn 1860 bu ailadeiladu eto. Mae'r capel presennol (a gostiodd £627) yn dyddio o 1902. Mae ynddo le i 210 o addolwyr. Adeiladwyd y capel yn y dull lled-glasurol gyda mynediad talcen. Mae'r capel ar agor.

ABERFFRAW *Capel Seion (W)*
Mae'r capel ym mhentref Aberffraw heb fod ymhell o'r Afon Ffraw a'r hen bont. Cyfeirnod Grid SH 355 689.
Sefydlwyd yr achos ac adeiladwyd y capel cyntaf oddeutu 1806. Ailadeiladwyd y capel yn 1851 ar gost o £450. Yn 1887 adeiladwyd capel arall ychydig yn nes at y pentref. Y cynllunydd oedd William Lloyd Jones o Fangor (gweler Pennod 5). Roedd y gost, yn cynnwys tŷ'r gweinidog, yn £2500. Mae'n adeilad uchel wedi'i adeiladu yn y dull Lombardaidd/Eidalaidd gyda mynediad talcen. Gwnaethpwyd gwaith addurno gwerth rhai miloedd mor ddiweddar â 1992. Yr un pryd cafwyd cyfarfod arbennig i gyflwyno cofeb i'r rhai a fu farw yn yr Ail Ryfel Byd. Mae'r gofeb hon ar un o furiau mewnol y capel. Mae'r capel yn adeilad rhestredig gradd 2. Fe ddefnyddir y capel o hyd.

ABERFFRAW *Capel Soar (P)*
Saif y capel oddeutu 2.5 milltir (4.0 km) i'r gogledd-ddwyrain o bentref Aberffraw mewn rhan weddol ddiarffordd o'r plwyf. Cyfeirnod Grid SH 383 720.
Sefydlwyd Ysgol Sul yn yr ardal hon fel cangen o Gapel Bethel yn 1814. Cafwyd tir i adeiladu capel yn 1823 a chwblhawyd y capel o fewn blwyddyn. Ailadeiladwyd y capel yn 1849, ac unwaith eto yn 1872 (am £324). Gwnaethpwyd gwaith atgyweirio (gwerth £200) yn 1919. Mae'r capel yn y dull pengrwn gyda mynediad talcen. Mae'r capel yn parhau i gael ei ddefnyddio.

ABERFFRAW *Capel Talar Rodio (P)*
Saif y capel yn Stryd y Capel sydd heb fod ymhell o ganol y pentref. Cyfeirnod Grid SH 354 690.
Gellir olrhain yr achos yn ardal Aberffraw yn ôl cyn belled â thua 1773 pan oedd addolwyr yn ymgynnull mewn tŷ annedd a elwid yn Capel

Ffigur 2(a)
CAPELI'R PRESBYTERIAID
(Methodistiaid Calfinaidd)

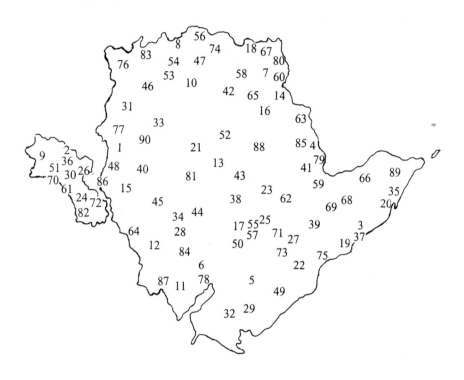

1	Abarim, Llanfachraeth	18	Capel Mawr, Amlwch
2	Armenia, Caergybi	19	Capel Mawr, Porthaethwy
3	Barachia, Llandegfan	20	Capel y Drindod, Biwmares
4	Benllech	21	Carmel, Carreglefn
5	Bethania, Llangaffo	22	Cefn Bach, Ffingar
6	Bethel, Bodorgan	23	Cefniwrch
7	Bosra, Penysarn	24	Crecrist, Bae Trearddur
8	Bethesda, Cemaes	25	Dinas, Llangefni
9	Bethffage, Llaingoch	26	Disgwylfa, London Road, Caergybi
10	Bethlehem, Carreglefn	27	Disgwylfa, Gaerwen
11	Beulah, Aberffraw	28	Dothan
12	Bryn Du	29	Dwyran
13	Bryntwrog	30	Ebeneser, Kingsland, Caergybi
14	Brynrefail	31	Ebeneser, Llanfaethlu
15	Caergeiliog	32	Ebeneser, Niwbwrch
16	Caersalem, Mynydd Bodafon	33	Elim, Llanddeusant
17	Cana, Rhostrehwfa	34	Engedi

35	English Presbyterian Church, Biwmares	63	Paradwys, Llanallgo
36	English Presbyterian Church, Caergybi	64	Paran, Rhosneigr
37	English Presbyterian Church, Porthaethwy	65	Parc
38	Gad, Bodffordd	66	Peniel, Llanddona
39	Gilead, Penmynydd	67	Peniel, Porth Amlwch
40	Gilgal, Bodedern	68	Penucheldref, Llansadwrn
41	Glasinfryn, Llanbedrgoch	69	Penygarnedd, Rhoscefnhir
42	Horeb, Gorslwyd, Rhosybol	70	Penrhosfeilw
43	Gosen, Llangwyllog	71	Pen-y-Sarn, Pentre Berw
44	Jersulaem, Gwalchmai	72	Ponc-yr-Efail, Bae Trearddur
45	Hebron, Bryngwran	73	Preswylfa, Llanddaniel Fab
46	Hen Bethel, Llanrhuddlad	74	Rehoboth, Burwen
47	Hephsiba, Rhosbeirio	75	Rhos y Gad (Eglwys Unedig), Llanfairpwll
48	Hermon, Llanynghenedl	76	Salem, Llanfairynghornwy
49	Horeb, Brynsiencyn	77	Salem, Llanfwrog
50	Horeb, Llangristiolus	78	Sardis, Malltraeth
51	Hyfrydle, Mill Street, Caergybi	79	Saron, Traeth Coch
52	Jersusalem, Llannerch-y-medd	80	Seilo, Pengorffwysfa
53	Jerusalem, Mynydd Mechell	81	Seion, Llandrygarn
54	Libanus, Llanfechell	82	Seion, Rhoscolyn
55	Lon y Felin, Llangefni	83	Siloam, Cemlyn, Llanrhwydrus
56	Moreia, Llanbadrig	84	Soar
57	Moreia, Llangefni	85	Tabernacl, Llanfair M.E.
58	Mynydd Parys	86	Tabor, Y Fali
59	Nazareth, Pentraeth	87	Talar Rodio, Aberffraw
60	Nebo, Llanwenllwyfo	88	Ty Mawr, Capel Coch
61	Noddfa (Eglwys Unedig), Bae Trearddur	89	Ty Rhys, Llangoed
62	Nyth Clyd, Talwrn	90	Tyn-y-Maen, Llanfigel

Huddygl. Dyma oedd yr enw a roddwyd gan rai a oedd yn wrthwynebus iddo, ond fe lynodd yr enw. Gan fod y tŷ yn rhy fychan, fe adeiladwyd capel newydd yn 1785, ac yn 1802 ychwanegwyd orielau ato er mwyn cynyddu nifer yr eisteddleoedd. Yn 1860 adeiladwyd capel newydd ac yn 1887 adeiladwyd tŷ ar gyfer y gweinidog. Yn 1901 cafwyd organ ac yn 1905 gwariwyd £900 ar atgyweirio'r capel; roedd lle yno i 300 o addolwyr. Mae'r capel yn y dull pengrwn gyda mynediad wal fer (gyda dau ddrws). Mae'r capel yn adeilad rhestredig gradd 2. Gerllaw ceir ysgoldy helaeth. Mae tŷ capel gyferbyn â'r capel. Mae'r capel ar agor.

AMLWCH *Amlwch Methodist Church (W)*
Mae'r capel yn Stryd Wesle (Ffigur 3). Cyfeirnod Grid SH 444 930.
Adeiladwyd y capel Saesneg hwn (am £160) yn 1832, y capel Saesneg cyntaf gan y Wesleaid yn y sir. Cwblhawyd estyniad yn 1837. Mae hanes diddorol yn perthyn iddo. Daeth James Treweek o Gernyw yn rheolwr ar

Ffigur 2(b)
CAPELI'R ANNIBYNWYR

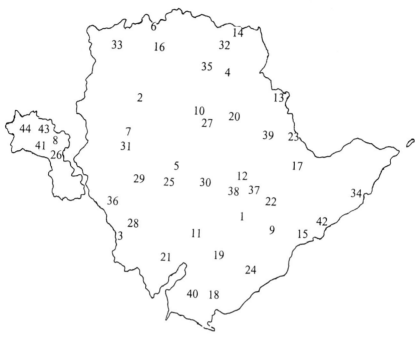

1 Berea, Pentre Berw	23 Libanus, Benllech
2 Bethania, Llanddeusant	24 Libanus, Brynsiencyn
3 Bethania, Rhosneigr	25 Moreia, Gwalchmai
4 Bethania, Rhosybol	26 Noddfa, London Road, Caergybi
5 Bethel, Maes-y-llan	27 Peniel, Coedana
6 Bethel, Cemaes	28 Rehoboth, Llanfaelog
7 Bethesda, Llanfachraeth	29 Salem, Bryngwran
8 Brynhyfryd, Caergybi	30 Sardis, Bodffordd
9 Cana, Llanddaniel Fab	31 Saron, Bodedern
10 Capel Ifan, Llannerch-y-medd	32 Saron, Bodgadfa
11 Capel Mawr, Llangristiolus	33 Seilo, Llanrhwydrus
12 Ebeneser, Rhosmeirch	34 Seion, Biwmares
13 Carmel, Moelfre	35 Seion, Rhosgoch
14 Carmel, Porth Amlwch	36 Siloam, Llanfairynneubwll
15 Ebeneser, Llanfairpwll	37 Siloam, Talwrn
16 Ebeneser, Llanfechell	38 Smyrna, Llangefni
17 Ebeneser, Pentraeth	39 Soar, Brynteg
18 Elim, Dwyran	40 Soar, Niwbwrch
19 Groeslon, Llangaffo	41 Tabernacl, Thomas Street, Caergybi
20 Hebron, Maenaddwyn	42 Tabernacl, Porthaethwy
21 Hermon	43 Tabernacl Newydd, Newry Street, Caergybi
22 Horeb, Penmynydd	44 Tabor, Mynydd Twr

Ffigur 2(c)
CAPELI'R BEDYDDWYR

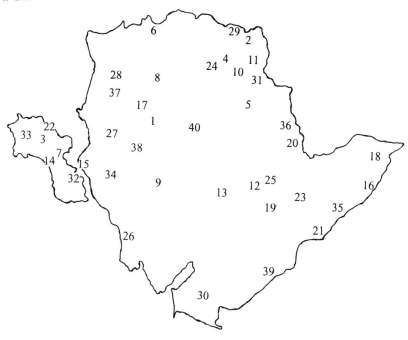

1 Ainon, Llantrisant	23 Pencarneddi, Star
2 Bethania, Llaneilian	24 Pengarnedd, Rhosgoch
3 Bethel, Edmund Street, Caergybi	25 Penuel, Llangefni
4 Bethel, Rhosybol	26 Penuel, Rhosneigr
5 Bethesda, Mynydd Bodafon	27 Pont-yr-arw, Llanfachraeth
6 Bethlehem, Cemaes	28 Rhydwyn, Llanrhuddlad
7 Black Bridge Baptist Chapel, Caergybi	29 Salem, Amlwch
8 Calfaria, Mynydd Mechell	30 Salem, Niwbwrch
9 Capel Gwyn	31 Sardis, Llanwenllwyfo
10 Capel Newydd (Capel Mwd)	32 Sardis, Pontrhydybont
11 Carmel, Penysarn	33 Seilo, Llaingoch, Caergybi
12 Ebeneser, Cildwrn	34 Seilo, Caergeiliog
13 Gwalchmai	35 Seion, Llandegfan
14 Hebron, Kingsland Road, Caergybi	36 Seion, Llanfair Mathafarn Eithaf
15 Hermon, Y Fali	37 Soar, Llanfaethlu
16 Horeb, Biwmares	38 Tabernacl, Bodedern
17 Horeb, Llanddeusant	39 Tabernacl, Brynsiencyn
18 Jersusalem, Llangoed	40 Tabernacl, Llannerch-y-medd
19 Moreia, Gaerwen	
20 Moreia, Pentraeth	
21 Moreia, Porthaethwy	
22 New Park English Baptist Chapel, Newry Street, Caergybi	

Ffigur 2(ch)
CAPELI'R WESLEAID

Gloddfa Mona (ar Fynydd Parys) yn 1811. Yn ei sgîl daeth nifer o weithwyr o Gernyw i weithio i Fynydd Parys, a chan fod traddodiad Wesleaidd cryf yng Nghernyw, fe sefydlwyd yr achos hwn. Yn 1975 caewyd y capel Wesleaidd Cymraeg (Bethel, hefyd yn Stryd Wesle) ac fe ymunodd y gynulleidfa Gymraeg â'r capel Saesneg. Cynhelir gwasanaethau Cymraeg a Saesneg yma ar y Sul.

AMLWCH *Amlwch Pentecostal Church*
Mae'r enwad hwn yn cyfarfod yn yr Hen Ysgol yn Lôn Wen, Porth Amlwch (Ffigur 3). Cyfeirnod Grid SH 450 933.
Dechreuodd y mudiad Pentecostaidd yn Kansas, UDA yn 1901. Mae cyfarfodydd yr eglwys arbennig hon yn yr Hen Ysgol ym Mhorth Amlwch, adeilad sydd wedi'i addasu ar gyfer ei ddefnyddio gan y gymuned.

40

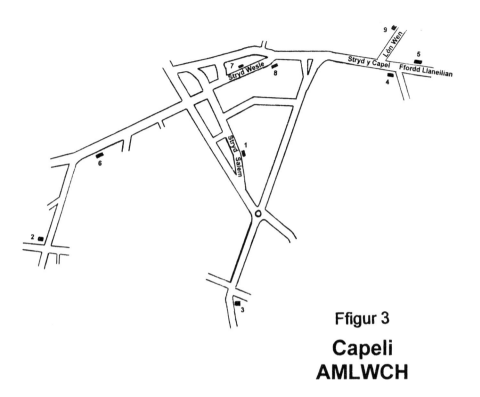

Ffigur 3

Capeli
AMLWCH

1 Capel Salem (B)
2 Capel Saron Bodgadfa (A)
3 Ysgoldy Llaethdy (P)
4 Capel Carmel (A)
5 Capel Peniel (P)
6 Capel Mawr (P)
7 Amlwch Methodist Church/ Capel y Wesleaid (W)
8 Capel Bethel (W)
9 Amlwch Pentecostal Church

AMLWCH *Capel Bethel (W)*

Saif y capel yn Stryd Wesle (Ffigur 3). Cyfeirnod Grid SH 443 930.
Adeiladwyd y capel cyntaf yn 1807, ac ailadeiladwyd yn y dull Gothig yn 1860 gyda John Lloyd, Caernarfon yn bensaer. Ychwanegwyd ysgoldy yn y cefn yn 1910. Caewyd y capel yn 1975 ac ymunodd y gynulleidfa â'r capel Wesleaidd Saesneg sydd hefyd yn yr un stryd. Erbyn hyn defnyddir yr adeilad fel warws ac mae mynediad ar gyfer cerbydau lle roedd y drws yn arfer bod.

AMLWCH *Capel Bethesda (Capel Mawr) (P)*

Mae'r capel yn Stryd Bethesda, Amlwch (Ffigur 3). Cyfeirnod Grid SH 437 926.
Codwyd y capel cyntaf yn 1777. Adeiladwyd capel llawer mwy yn 1818 a dyma pa bryd y cyfeiriwyd at y capel fel 'Capel Mawr' am y tro cyntaf, er mai Bethesda yw ei enw swyddogol. Sefydlodd y capel Ysgol Sul ym Mhorth Amlwch yn 1820, ac adeiladwyd ysgoldy pwrpasol yn 1827. Yn ystod y 1820au dywedir bod oddeutu 350 yn mynychu Ysgol Sul Capel Mawr. Yn 1871 adeiladwyd capel newydd eto. Roedd yr adeilad yn y dull Romanésg gyda mynediad talcen. Roedd gan y capel hardd hwn ffenestri lliw, goleuadau nwy, gwaith coed o safon ac addurniadau plastr ar y nenfwd. Roedd y gost yn £2200. Gwariwyd £850 ar dŷ i'r gweinidog yn 1893 ac ychwanegwyd ysgoldy ac ystafelloedd eraill i'r capel am £1100 yn 1899. Cafwyd cyntedd newydd a sêt fawr yn 1906. Yn yr un flwyddyn prynwyd organ hardd hynod o bwerus gyda 1278 o bibau am £600. Yn y dechrau chwythwyd yr organ â llaw gyda meginau anferth; yn ddiwddarach cafwyd offer nwy ac yn 1929 beiriant petrol i wneud y gwaith. Yn 1936 gwariwyd swm o £2000 ar welliannau i'r adeiladau. Ar y 6ed Mehefin 1905 pregethodd yr enwog Evan Roberts yng Nghapel Mawr yn ystod dyddiau cyffrous Diwygiad 1904-05. Y Parchedig D. Cwyfan Hughes BA (1886-1966) oedd gweinidog Capel Mawr o 1919 hyd at 1961. Yn ystod y cyfnod hwn bu twf anferth yn nifer yr aelodau. Mae tabled ar wal y capel i'w goffáu. Rhoddodd Capel Mawr fodolaeth i nifer o ysgolion Sul yn y gymdogaeth, yn cynnwys: Ty'n Lôn Gwredog (o 1819 tan ar ôl y Rhyfel Byd Cyntaf); Porth Llechog lle darparwyd oedfaon Saesneg ar gyfer ymwelwyr (o 1894 tan ar ôl y Rhyfel Byd Cyntaf); Llaethdy, ger Pentrefelin (o 1860 ymlaen gydag ysgoldy newydd gwerth £564 yn 1905); Porth Amlwch (o 1820 gydag ysgoldy newydd yn 1827); Pig y Rhos, Burwen (gweler Capel Rehoboth, Burwen isod). Mae Capel Mawr ar agor.

AMLWCH Capel Carmel (A), Porth Amlwch
Saif y capel yn Stryd y Capel ym Mhorth Amlwch (Ffigur 3). Cyfeirnod Grid SH 450 931.
Mae'r achos yn dyddio'n ôl i'r 1780au. Adeiladwyd y capel presennol yn 1827 gan ei helaethu yn 1862 (am £1000) yn y dull clasurol gyda mynediad talcen. Gosodwyd oriel y tu mewn i'r capel. Ceir bwa anferth yn ffrynt y capel. Mae'n debyg mai'r cynllunydd Thomas Thomas, Abertawe a fu'n gyfrifol am y gwaith hwn. Gwnaethpwyd gwelliannau i greu dau lawr yn ystod y 1960au. Mae'r capel yn adeilad rhestredig gradd 2. Caewyd y capel oddeutu 2001 ac mae mewn perchnogaeth breifat erbyn hyn. Ynghlwm â'r capel mae festri a/neu ysgoldy sydd mewn cyflwr gwell.

AMLWCH Capel Peniel (P), Porth Amlwch
Mae'r capel yn Ffordd Llaneilian ym Mhorth Amlwch (Ffigur 3). Cyfeirnod Grid SH 452 931.
Adeiladwyd y capel cyntaf yma yn 1849. Adeiladwyd capel newydd gwerth £600 yn 1861 ac yn 1899 codwyd capel newydd hardd am £2600 wedi'i gynllunio gan y pensaer Richard Davies, Bangor yn y dull clasurol gyda mynediad wal fer (gyda dau ddrws). Adeiladwyd tŷ i'r gweinidog yn 1923 am £1100. Mae'r ysgoldy yn dyddio o'r 1950au, a chafwyd organ newydd yn y 1960au. Mae'r capel yn adeilad rhestredig gradd 2. Mae'r capel ar agor.

AMLWCH Capel Salem (B)
Saif y capel yn Stryd Salem (Ffigur 3). Cyfeirnod Grid SH 442 927.
Roedd achos y Bedyddwyr yn yr ardal wedi cychwyn tua 1796 ond ni adeiladwyd y capel tan 1827. Ailadeiladwyd yn helaeth yn 1861 a chredir bod ffrynt y capel wedi'i gynllunio gan y cynllunydd enwog Thomas Thomas, Abertawe. Gwerthwyd y capel yn 2004 ac mae wedi'i drawsnewid i fod yn dai annedd.

AMLWCH Capel Saron (A), Bodgadfa
Saif y capel oddeutu 1.2 milltir (1.9 km) i'r de-orllewin o Amlwch (Ffigur 3). Cyfeirnod Grid SH 428 916.
Sefydlwyd yr achos hwn mewn tŷ yn yr ardal yn 1842 ac adeiladwyd y capel yn 1844. Caeodd y capel yn 1997 ac erbyn hyn mae'r adeilad wedi'i ymgorffori i fod yn rhan o dŷ'r capel. Er mai cartref yw'r capel bellach ac wedi'i baentio'n wyn, mae ei wreiddiau fel addoldy yn hollol amlwg.

AMLWCH *Ysgoldy Llaethdy (P)*
Mae'r adeilad ym Mhentrefelin ar gyrion Amlwch (Ffigur 3). Cyfeirnod Grid SH 441 918.
Sefydlwyd yr ysgoldy yn 1860 fel cangen o Gapel Mawr, Amlwch. Mae'r adeilad (a gostiodd £564) yn dyddio o 1905. Adeiladwyd yn y dull lleol diweddarach gyda mynediad talcen. Y pensaer oedd Richard Davies, Bangor. Mae'r adeilad mewn cyflwr gweddol dda a chredir ei fod ar agor.

BAE TREARDDUR *Capel (Ysgoldy) Crecrist (P)*
Mae'r adeilad ar ochr y B4545. Cyfeirnod Grid SH 262 786.
Adeiladwyd yr ysgoldy hwn yn 1835. Yn y 1930au cafodd ei ddisgrifio fel adeilad dymunol gyda 70 o seddau. Gwerthwyd yr adeilad yn 1957 a thŷ annedd ydyw erbyn hyn.

BAE TREARDDUR *Capel Noddfa (P)/Eglwys Unedig Tywyn Capel*
Saif y capel ym Mae Trearddur, gyferbyn ag Eglwys Sant Ffraid. Cyfeirnod Grid SH 258 788.
Yn 1909 adeiladwyd ysgoldy fel cangen o Gapel Ebeneser (P), Kingsland, Caergybi, a 'Chapel Gwyn' oedd ei enw ar y dechrau. Cynhaliwyd rhai gwasanaethau Saesneg ar gyfer ymwelwyr yn yr haf. Corfforwyd y capel yn annibynnol o Ebeneser yn 1921. Yn 1966 sefydlwyd Eglwys Unedig Tywyn Capel ar y cyd gyda'r Bedyddwyr. Mae Noddfa yn gapel bychan gyda phensaernïaeth 'Celf a Chrefft' sy'n nodweddiadol o ddechrau'r ugeinfed ganrif. Gwneir defnydd o friciau coch. Mae'r capel yn dal ar agor.

BAE TREARDDUR *Capel Ponc yr Efail (P)*
Mae'r safle ar ochr y B4545 tua milltir o ganol y pentref. Cyfeirnod Grid SH 268 781.
Mae'r capel wedi'i chwalu ers blynyddoedd.

BENLLECH *Capel Benllech (P)*
Mae'r capel ar ochr yr A5025 yng nghanol y pentref. Cyfeirnod Grid SH 519 830.
Cangen o Gapel Tabernacl yw'r achos hwn. Yn 1883 adeiladwyd ysgoldy ar dir fferm o'r enw Mynachlog. Yn 1900 adeiladwyd capel newydd ar yr un safle. Mae'r adeilad yn y dull Gothig syml gyda mynediad wal hir. Roedd yn arferiad cael gwasanaeth Saesneg yn ystod yr haf. Gosodwyd trydan yn y capel yn 1938. Yn y 1960au gwelwyd cynnydd yn nifer y gwasanaethau Saesneg i ddau bob mis. Mae'r capel yn adeilad bach taclus ac ar agor.

BENLLECH *Capel Libanus (A)*
Mae'r capel ar y B5108 yn agos at ganol y pentref. Cyfeirnod Grid SH 518 828.
Ar ddiwedd y bedwaredd ganrif ar bymtheg dymunodd rhai o'r trigolion lleol gael capel ym Menllech a chwblhawyd y capel hwn yn 1900. Mae'r adeilad yn y dull Celf a Chrefft a oedd mor boblogaidd ar ddechrau'r ugeinfed ganrif. Y pensaer oedd Richard Davies, Bangor. Mae'n parhau ar agor.

BETHEL *Capel Bethel (P)*
Mae'r capel yng nghanol y pentref. Cyfeirnod Grid SH 397 703.
Dechreuodd achos y Methodistiaid oddeutu 1760 mewn lle o'r enw Glantraeth. Symudodd yr achos i Treddafydd tua 1790. Adeiladwyd capel cyntaf Bethel yn 1816; roedd yr adeilad yn mesur 36 x 12 troedfedd. Yn 1866 adeiladwyd capel newydd ac atgyweiriwyd ef yn 1889. Yn 1905 ailadeiladwyd y capel a helaethwyd yr ysgoldy yn 1905. Gwnaed atgyweirio pellach yn y capel yn 1923. Mae pentre Bethel yn enghraifft o le a dyfodd o gwmpas y capel ac wedi'i enwi ar ei ôl. Mae Capel Bethel ar agor.

BIWMARES *Capel y Drindod (P)*
Mae'r capel yn Stryd y Capel (Ffigur 4). Cyfeirnod Grid SH 603 760.
Cynhaliwyd oedfaon mewn tŷ annedd yn Stryd y Capel o tua 1794. Yn ôl y sôn cafwyd tir i adeiladu capel ar y ffrynt, ond oherwydd gwrthwynebiad lleol bu rhaid ei adeiladu mewn stryd gefn. Adeiladwyd y capel cyntaf yn Stryd y Capel yn 1804. Helaethwyd y capel hwn yn weddol fuan ac unwaith eto yn 1833 am £600. Yn 1873 ailadeiladwyd tu mewn y capel. Ychwanegwyd ysgoldy (am £700) tu ôl i'r capel (yn Lôn Rhosmari) yn 1907. Sefydlwyd ysgoldy arall yn Stryd Wexham yn 1913. Cafwyd goleuni trydan yn y capel yn 1935. Yn 1947 gosodwyd cofeb er cof am y Parchedig Hugh Hughes, gweinidog y capel o 1831 tan 1877. Cwblhawyd gwaith addurno a gosod system wresogi drydan yn 1949. Gwerthwyd ysgoldy Stryd Wexham yn 1960. Yn anffodus yn 1970 achosodd storm ddifrod sylweddol i'r nenfwd, a bu rhaid defnyddio'r ysgoldy yn Lôn Rhosmari tra roedd gwaith atgyweirio'n mynd ymlaen. Cymerodd hynny ddwy flynedd a'r gost oedd £3000 a oedd yn cynnwys ailwifro'r adeilad ac atgyweirio'r organ. Yn 2006 defnyddiwyd yr ysgoldy unwaith eto oherwydd pryder ynghylch cyflwr y to a'r nenfwd. Ym mis Tachwedd 2006 cafwyd grant o £97,500 gan Lywodraeth Cynulliad Cymru i gynorthwyo gydag adnewyddu'r capel. Mae'r capel yn y dull lled-glasurol gyda mynediad wal fer. Mae Capel y Drindod yn adeilad rhestredig gradd 2 ac mae ar agor.

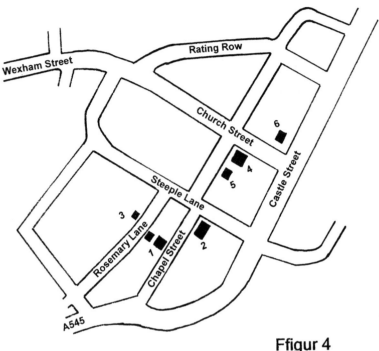

Ffigur 4

Capeli
BIWMARES

1 Capel y Drindod (P)
2 Capel Seion (A)
3 Capel Horeb (B)
4 English Presbyterian Church
5 Oasis Church
6 Capel Ebeneser (W)

BIWMARES *Capel Ebeneser (W)*
Mae'r adeilad yn Stryd yr Eglwys (Ffigur 4). Cyfeirnod Grid SH 605 761.
Adeiladwyd Capel Ebeneser yn 1808. Mae'r capel yn y dull lled-glasurol gyda mynediad talcen. Fe soniodd yr awdur a'r pregethwr y Parchedig E. Tegla Davies am y capel hwn yn ei lyfr *Gyda'r Blynyddoedd* (Gwasg y Brython, Lerpwl 1952). Caeodd y capel yn 1941. Erbyn hyn mae'r adeilad yn cael ei ddefnyddio fel siop barbwr a siop hen greiriau.

BIWMARES *Capel Horeb (B)*
Mae'r adeilad yn Lôn Rhosmari (Ffigur 4). Cyfeirnod Grid SH 604 760
Sefydlwyd yr achos yn 1794, ac fe adeiladwyd capel yn Lôn Rhosmari yn 1827. Caeodd y capel ychydig ar ôl yr Ail Ryfel Byd ac fe'i gwerthwyd yn 1954. Erbyn heddiw defnyddir yr adeilad fel gweithdy.

BIWMARES *Capel Seion (A)*
Mae'r adeilad ar gyffordd Stryd y Capel a Lôn y Clochdy (Ffigur 4). Cyfeirnod Grid SH 604 760.
Codwyd y capel cyntaf yma yn 1788 ac ailadeiladwyd ef yn 1821 am £450. Gwnaethpwyd gwaith atgyweirio yn y 1850au. Dywedir bod nwy wedi ei osod i oleuo'r capel yr adeg hynny. Caeodd y capel beth amser yn ôl ac erbyn hyn mae'r adeilad wedi'i addasu yn fflatiau.

BIWMARES *English Presbyterian Church (P)*
Saif y capel ar gyffordd Stryd Margaret a Stryd y Capel (Ffigur 4). Cyfeirnod Grid SH 605 761.
Adeiladwyd y capel (am £1000) yn y dull Gothig gyda mynediad talcen yn 1871. Roedd organ yn y capel o'r cychwyn cyntaf. Y pensaer oedd R. G. Thomas o Borthaethwy. Ychwanegwyd ysgoldy yn 1907. Caeodd y capel yn 1992 ac erbyn hyn mae wedi'i addasu'n fflatiau.

BIWMARES *Oasis Church*
Saif yr adeilad ym Stryd Margaret (Ffigur 4). Cyfeirnod Grid SH 605 761.
Mae'r enwad hwn yn defnyddio adeilad briciau coch a oedd yn ysgoldy i'r capel Methodist Saesneg.

BODEDERN *Capel Gilgal (P)*
Mae'r capel yn Ffordd Llundain (Ffigur 5). Cyfeirnod Grid SH 333 802.
Roedd achos yn bodoli yn yr ardal yn 1793 pan ddefnyddiwyd ffermdy o'r enw Ty'n y Cae. Adeiladwyd y capel cyntaf yn 1807, a'i helaethu yn 1815. Yn 1836 adeiladwyd capel newydd ar draws y ffordd.

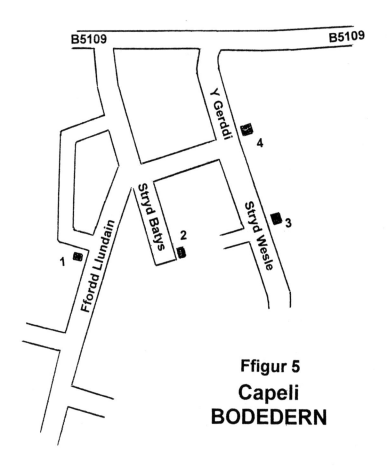

Ffigur 5
Capeli
BODEDERN

1 Capel Gilgal (P)
2 Capel Tabernacl (B)
3 Capel Soar (W)
4 Capel Saron (A)

Capel Seion (W), Aberffraw
Adeiladwyd yn y dull Lombardaidd
yn 1887

Capel Ebeneser (W), Llangefni a
adeiladwyd yn 1865

Llechen i gofio'r Parchedig Jenkin Morgan
ym mynwent Capel Ebeneser, Rhosmeirch

Capel Talar Rodio (P), Aberffraw. Mae'r capel yn adeilad rhestredig.

Amlwch Methodist Church (W)
Mae'r Wesleaid Cymraeg hefyd yn defnyddio'r un adeilad

Capel Mawr (P), Amlwch
Adeiladwyd yn y dull Romanesg yn 1871

Capel Peniel (P), Porth Amlwch. Adeiladwyd yn y dull clasurol yn 1899

Capel Libanus (A), Benllech a gwblhawyd yn 1990

Capel Sardis (B), Bodffordd a adeiladwyd yn 1895

Capel Belan (B), Bodwrog. Mae'r adeilad yn dyddio o 1900

Capel Horeb (P), Brynsiencyn a adeiladwyd yn 1883

Capel Bryn Du (P) a adeiladwyd yn y dull clasurol yn 1901

Capel Bethel (W), Glan y Môr, Ffordd Victoria, Caergybi. Mae'r capel (ar y dde) wedi'i droi'n fflatiau. Defnyddir yr ysgoldy (ar y chwith) gan y Wesleaid Cymraeg a Saesneg

54

Capel Brynhyfryd (A), Caergybi
Defnyddir yr adeilad yn awr gan yr Elim Pentecostal Church

Capel Ebeneser (A), Rhosmeirch a adeiladwyd yn 1869 yn y dull clasurol

Capel Hebron (B), Kingsland, Caergybi. Cafodd ei adeiladu yn 1902

Capel Hyfrydle (P), Caergybi
Yr unig gapel Presbyteraidd Cymraeg yn nhref Caergybi

Capel Tabernacl (A), Stryd Thomas, Caergybi a adeiladwyd yn 1913

Capel Disgwylfa (P), Gaerwen
Adeiladwyd y capel yn y dull clasurol yn 1904

Moriah, Capel y Bedyddwyr, Gaerwen a adeiladwyd yn 1876

Capel Paradwys (P), Llanallgo a adeiladwyd yn y dull Lombardaidd 1899

Capel Preswylfa (P), Llanddaniel
Adeiladwyd yn y dull Celf a Chrefft yn 1909

Soar, Capel y Bedyddwyr, Llanfaethlu a gwblhawyd yn 1903

Capel Tabernacl (P), Llanfair Mathafarn Eithaf

Capel Ebeneser (A), Llanfair Pwllgwyngyll.
Adeiladwyd y capel yn y dull lleol

Capel Rhos-y-Gad (Eglwys Unedig), Llanfair Pwllgwyngyll
a adeiladwyd yn 1873

Capel Cildwrn, Llangefni sy'n gysylltiedig â'r enwog Christmas Evans

Capel Moreia (P), Llangefni a adeiladwyd yn 1898 yn y dull clasurol

Capel Smyrna (A), Llangefni a adeiladwyd yn 1903

*Capel Ifan (A), Llannerch-y-medd a
adeiladwyd yn 1861*

*Capel Hebron (W), Pontrhydybont
Fe'i adeiladwyd yn 1874 ac fe'i
caewyd yn 1998*

Berea, Capel yr Annibynwyr, Pentre Berw a adeiladwyd yn 1860

Capel Mawr (P), Porthaethwy sy'n dyddio o 1856

Tabernacl, Capel yr Annibynwyr, Porthaethwy a adeiladwyd yn 1867

Ailadeiladwyd unwaith eto yn 1876 yn y dull lled-glasurol gyda mynediad talcen; Hugh Jones o Lannerch-y-medd oedd y pensaer. Gwariwyd £1000 i atgyweirio'r capel yn 1911 a'r dyddiad hwn sydd ar flaen y capel. Yn y 1960au gwerthwyd tŷ'r gweinidog am £4250 ac fe wnaethpwyd gwelliannau i dŷ'r capel. Mae'r capel yn parhau i gael ei ddefnyddio er mai golwg gweddol lwm sydd arno bellach.

BODEDERN *Capel Saron (A)*

Mae'r capel yn Y Gerddi (Lôn yr Ardd) (Ffigur 5). Cyfeirnod Grid SH 334 803.
Roedd achos yn bodoli mewn tŷ o'r enw Plas Main cyn diwedd y ddeunawfed ganrif, ond yn 1829 yr adeiladwyd y capel cyntaf am £100. Bu gwaith ailadeiladu pellach yn 1868, 1890 a 1907. Mae'r capel presennol yn y dull lled-glasurol gyda mynediad talcen. Mae'r capel ar agor.

BODEDERN *Capel Soar (W)*

Saif y capel yn Stryd Wesle (Ffigur 5). Cyfeirnod Grid SH 334 802.
Adeiladwyd Capel Soar yn 1822 ond bu rhyw gymaint o ailadeiladu wedi hynny. Mae'r adeilad presennol, sydd yn y dull pengrwn gyda mynediad wal hir, yn dyddio o 1880. Mae'n adeilad cofrestredig gradd 2. Mae ffenestr gron uwchben y drws. Bu'r capel hwn yn gysylltiedig â mudiad y Wesle Bach o oddeutu 1831 ymlaen (gweler Pennod 2). Mae'r capel yn parhau i gael ei ddefnyddio.

BODEDERN *Capel Tabernacl (B)*

Mae'r capel yn Stryd Batys (Ffigur 5). Cyfeirnod Grid SH 333 802.
Cynhaliwyd cyfarfodydd cyntaf Bedyddwyr Bodedern mewn tŷ annedd; dechreuodd yr achos tua 1824. Adeiladwyd y capel cyntaf (gyda 120 sedd) yn 1826. Ailadeiladwyd y capel yn 1857 a 1884. Mae tŷ capel gyferbyn â'r capel. Mae'n parhau ar agor.

BODFFORDD *Capel Gad (P)*

Mae'r capel tua 0.7 milltir (1.0 km) i'r de o'r pentref. Cyfeirnod Grid SH 424 761.
Cynhaliwyd Ysgol Sul mewn gwahanol fannau (Ty'n yr Allt, Cae'r Ychain, Ysgubor Ddegwm) cyn adeiladu'r capel cyntaf yn 1841. Roedd yn gangen o Gapel Gosen, Llangwyllog. Adeiladwyd capel newydd yn 1894 am £580 (rhodd gan Robert Davies, Bodlondeb). Roedd yn y dull lleol gyda mynediad talcen. Y pensaer oedd Richard Davies, Bangor. Cafwyd mynwent yn 1908 ac adeiladwyd ysgoldy ar y safle yn 1934. Mae'n parhau ar agor.

BODFFORDD *Capel Sardis (B)*
Mae'r capel yng nghanol y pentref. Cyfeirnod Grid SH 427 769.
Adeiladwyd y capel cyntaf yn 1814, ei helaethu yn 1824, a'i atgyweirio yn 1846 (am £300) ac wedyn yn 1865. Ailadeiladwyd y capel presennol yn 1895 yn y dull pengrwn syml. Mae'n parhau ar agor.

BODWROG *Capel Belan (B)*
Mae'r capel ar ochr y B5109. Cyfeirnod Grid SH 414 780.
Enw llawn y capel yw Gilead Belan. Adeiladwyd y capel cyntaf yn 1833, a'i helaethwyd yn 1850 ac yn 1900 gyda mynediad wal fer. Mae tŷ capel yn rhan o'r adeilad. Mae mynwent y tu ôl i'r capel ac ar safle arall gerllaw. Mae'r capel ar agor.

BODWROG *Capel Bryntwrog (P)*
Saif y capel oddeutu 1.1 milltir (1.7 km) i'r gogledd o Lynfaes. Cyfeirnod Grid SH 415 797.
Yn 1861 adeiladwyd ysgoldy (ar dir a roddwyd gan y teulu Davies o Borthaethwy) er bod Ysgol Sul wedi bodoli yn yr ardal cyn hyn. Roedd yr ysgoldy yn gysylltiedig â Chapel Gosen, Llangwyllog. Yn 1879 daeth yn gapel annibynnol. Adeiladwyd capel yn 1905 am £750 yn y dull lled-glasurol gyda mynediad talcen. Tua 1930 atgyweiriwyd y capel, tŷ'r capel a'r ysgoldy. Roedd mor ddiweddar â 1969 pan gafwyd trydan i oleuo a chynhesu'r capel. Mae'r capel wedi cau.

BODWROG *Capel Bethel, Maes-y-llan (A)*
Mae'r capel ar ochr y ffordd ger pentref Llynfaes. Cyfeirnod Grid SH 400 789.
Dechreuwyd yr achos yn 1840 ac adeiladwyd y capel yn 1844. Ailadeiladwyd yn 1879. Mae'r capel bach gyda thŷ capel gerllaw yn parhau ar agor.

BRYN DU *Capel Bryn Du (P)*
Mae'r capel yng nghanol pentref Bryn Du. Cyfeirnod Grid SH 345 728.
Roedd Ysgol Sul mewn gwahanol leoedd yn y cylch o tua 1785 ond ni adeiladwyd Capel Bryn Du tan 1793. Y capel hwn oedd y capel anghydffurfiol cyntaf ym mhlwyf Llanfaelog, ac ystyriwyd ef yn gangen o gapel y Methodistiaid yng Nghaergeiliog. Yn 1814 codwyd ail gapel llawer helaethach gydag oriel. Yn 1859 tynnwyd yr ail gapel i lawr ac adeiladu trydydd capel a oedd wedi'i gwblhau erbyn 1860. Yng Ngorffennaf 1877 cafwyd harmoniwm – un o'r capeli Methodistaidd cyntaf yn y sir i gael offeryn o'r fath. Yn 1894 cafwyd tir (tua chanllath o'r

capel) ar gyfer mynwent. Yn 1901 cwblhawyd capel newydd eto am £3335 gyda lle i dros 500 o addolwyr. Mae'r capel yn adeilad tal yn y dull clasurol gyda mynediad talcen. Mae'n adeilad rhestredig gradd 2. Yn yr un flwyddyn, cafwyd harmoniwm newydd a rhoi'r hen un yn yr ysgoldy. Adeiladwyd tŷ capel yn 1906 (£275) a thŷ i'r gweinidog (£1100) yn 1923. Yn ystod yr Ail Ryfel Byd, o 1939 ymlaen, cymerwyd adeiladau'r capel gan ysgol Babyddol o Lerpwl ar gyfer eu defnyddio yn ystod yr wythnos. Rhoddwyd trydan yn y capel yn 1946. Mae'n ddiddorol nodi mai yng Nghapel Bryn Du y pregethodd yr enwog John Elias (gweler Pennod 2) am y tro cyntaf ar Ynys Môn, tua 1795. Mae'r capel ar agor.

BRYNGWRAN *Capel Hebron (P)*
Mae'r capel tua 0.5 milltir (0.8 km) i'r de-orllewin o'r pentref. Cyfeirnod Grid SH 345 771.
Roedd achos yn bodoli gydag Ysgol Sul mewn sawl man ar wahanol adegau cyn adeiladu'r capel cyntaf yn 1824. O 1839 ymlaen cynhaliwyd Ysgol Sul fel cangen o Gapel Hermon yn ardal Ceirchiog. O'r ysgol hon y daeth Capel Engedi yn ddiweddarach (gweler isod). Yn 1880 cwblhawyd capel newydd am £1200 gyda lle ar gyfer 350 o addolwyr. Mae'r adeilad yn y dull lled-glasurol gyda mynediad talcen. Cafwyd tŷ ar gyfer y gweinidog yn 1887. Adeiladwyd ysgoldy newydd ac ailadeiladu'r tŷ capel yn 1939-40. Mae'r capel ar agor.

BRYNGWRAN *Capel Salem (A)*
Mae'r capel yn Stryd Salem. Cyfeirnod Grid SH 349 774.
Roedd achos ym mhlwyf Ceirchiog yn 1794 ac fe adeiladwyd y capel ym mhentref Bryngwran am £150 yn 1824. Helaethwyd y capel am £180 yn 1839 ac adnewyddwyd ef yn 1900. Mae'r capel ar agor.

BRYNREFAIL *Capel Brynrefail (P)*
Mae'r capel wrth ochr yr A5025. Cyfeirnod Grid SH 481 869.
Roedd Ysgol Sul yn yr ardal am rai blynyddoedd cyn i ysgoldy pwrpasol gael ei adeiladu yn 1847. Roedd yn amod na chaniateid pregethu yn yr adeilad hwn – cyfarfodydd gweddi yn unig oedd i fod ynddo. Yn 1860 adeiladwyd capel am £400. Yn 1886 atgyweiriwyd y capel ac ychwanegwyd ysgoldy. Ailadeiladwyd y capel (gyda lle i 220) yn 1896 yn ogystal ag atgyweirio'r ysgoldy a chael offeryn cerdd (cyfanswm £668). Roedd y capel newydd yn y dull lled-glasurol gyda mynediad talcen. Atgyweiriwyd yr holl adeiladau yn 1922. O flaen y capel mae cofgolofn i

goffáu'r rhai a fu farw yn y Rhyfel Byd Cyntaf. Hefyd mae carreg er cof am Owen Tomos Rolant a anwyd yn y gymdogaeth yn 1735. Dywedir iddo ddioddef erledigaeth am ei ddaliadau Methodistaidd. Mae'r capel ar agor.

BRYNSIENCYN *Capel Horeb (P)*
Mae'r capel ar ochr yr A4080 yng nghanol y pentref. Cyfeirnod Grid SH 482 671.
Codwyd y capel cyntaf yn 1786 a'r ail gapel yn 1806. Yn 1858 ychwanegwyd oriel i'r capel hwn. Yn 1883 adeiladwyd y capel presennol am £2800 gan ei ddisgrifio fel 'y capel harddaf yn y Sir'. Y pensaer oedd Owen Morris Roberts, Porthmadog. Rhoddwyd pulpud y capel yn anrheg gan weddw John Roberts, y Siop, a fu'n un o flaenoriaid y capel. Adeiladwyd Ysgoldy Lôn Las (Disgwylfa) oddeutu 1.5 milltir i'r de-orllewin o'r pentref yn 1893. Yn 1963 darganfuwyd bod pydredd yn y capel a bu ar gau am dair blynedd tra bod gwaith atgyweirio gwerth dros £7000 yn cael ei wneud. Cysylltir y capel hwn gyda'r Dr John Williams a fu'n weinidog yma rhwng 1878 a 1895 (gweler Pennod 2). Oherwydd Dr Williams daeth enw pentref Brynsiencyn yn adnabyddus ar hyd a lled Cymru. Mae'r capel ar agor.

BRYNSIENCYN *Capel Libanus (A)*
Mae'r adeilad yn Ffordd Barras, Brynsiencyn. Cyfeirnod Grid SH 484 670.
Dechreuwyd cynnal pregethau yn 1842 ac adeiladwyd yr addoldy cyntaf am £105 yn 1844. Ailadeiladwyd drachefn yn 1859 am £150. Adeiladwyd y capel presennol yn 1907. Ychwanegwyd tŷ cyfagos ar gyfer y gweinidog yn fuan wedyn. Caeodd y capel yn 1998 ac erbyn hyn mae'r adeilad yn dŷ annedd.

BRYNSIENCYN *Capel Tabernacl (B)*
Mae'r capel ar ochr yr A4080 yng nghanol y pentref. Cyfeirnod Grid SH 483 671.
Adeiladwyd y capel yn 1808 a chafodd ei ailadeiladu yn 1879. Mae'r adeilad yn y dull lleol gyda mynediad talcen. Mae'r capel wedi cau ers blynyddoedd ac ar hyn o bryd mae'n cal ei ddefnyddio fel clwb snwcer.

BRYNSIENCYN *Ysgoldy Disgwylfa (P), Lôn Las*
Mae'r ysgoldy tua 1.5 milltir (2.4 km) i'r de-orllewin o Frynsiencyn. Cyfeirnod Grid SH 472 654.
Adeiladwyd yr ysgoldy yn 1893 ar godiad tir ar Lôn Las. Y gost oedd £186. Gwerthwyd ef yn 1955 ac erbyn hyn mae wedi'i ymestyn gryn dipyn ac yn dŷ annedd.

BRYNTEG *Capel Soar (A)*

Mae'r capel ar ochr y B5110 ym mhentref Brynteg. Cyfeirnod Grid SH 494 824.
Roedd yr Annibynwyr yn cynnal cyfarfodydd yn yr ardal mewn tŷ o'r enw Tafarn-y-Wrach ac wedyn yn Tan-yr-Allt o tua 1812 ymlaen. Adeiladwyd y capel cyntaf oddeutu 1814 am £70. Ailadeiladwyd y capel presennol yn 1875 gyda mynediad talcen. Mae'n gapel gweddol fychan a thaclus gyda mynwent wrth ei ochr. Mae mynwent mwy diweddar ar draws y ffordd. Mae'n parhau ar agor.

BURWEN *Capel Rehoboth (P)*

Saif y capel ar ffordd fechan heb fod ymhell o'r A5025 ym mhentref Burwen. Cyfeirnod Grid SH 419 932.
Fe sefydlwyd Ysgol Sul mewn tŷ o'r enw Pig y Rhos yn 1801. Yn 1816 symudodd i leoliad arall cyfagos (Tŷ'r Ysgol). Adeiladwyd y capel yn 1840 fel cangen o Gapel Mawr, Amlwch. Ni chorfforwyd yr achos fel un annibynnol tan oddeutu 1865. Yn 1897 adeiladwyd capel newydd gyda lle i 120 o addolwyr am £120. Adeiladwyd capel newydd unwaith eto gyda lle i dros 160 yn 1935 am £1700. Adeiladwyd y capel hwn yn y dull Celf a Chrefft gyda mynediad talcen. Mae'n parhau ar agor.

BURWEN *Capel Seion (W)*

Mae'r adeilad wrth ochr yr A5025 ym mhentref Burwen. Cyfeirnod Grid 419 934.
Agorwyd y capel yn 1895 yn y dull lleol gyda mynediad wal hir. Caewyd yn 1929 ac mae wedi cael ei ddefnyddio fel tŷ annedd ers blynyddoedd.

CAERGEILIOG *Capel Caergeiliog (P)*

Saif y capel ar ochr yr A5 yn y pentref. Cyfeirnod Grid SH 311 783.
Gellir olrhain achos yn yr ardal cyn belled yn ôl â 1763. Adeiladwyd y capel cyntaf yn 1786. Ailadeiladwyd y capel yn 1818 ac mae'r adeilad presennol yn dyddio o 1872. Mae'r adeilad (sy'n restredig gradd 2) yn y dull pengrwn gyda mynediad talcen. Mae tŷ capel gerllaw gyda man i gadw cerbyd a cheffyl. Adeiladwyd neuadd (sydd bron gymaint â'r capel) ar y safle am £2000 yn 1930. Mae'r capel ar agor.

CAERGEILIOG *Capel Seilo (B)*

Mae'r capel ar yr A5 ar ochr orllewinol y pentref. Cyfeirnod Grid SH 307 785.
Cwblhawyd y capel cyntaf yn 1849. Mae'r capel presennol yn dyddio o 1866 wedi'i adeiladu yn y dull pengrwn gyda mynediad talcen. Mae mynwent yno. Mae'r capel yn parhau i fod ar agor.

CAERGYBI *Baker Street Baptist Mission Room (B)*
Mae'r adeilad yn Queen's Park Close (Ffigur 6). Cyfeirnod Grid SH 245 829.
Roedd yr ysgoldy hwn yn gysylltiedig â chapel y Bedyddwyr Saesneg yn Stryd Newry. Mae'r adeilad bellach yn dŷ annedd. Mae carreg gyda'r enw 'Baker Street Mission Room' uwchben y drws o hyd.

CAERGYBI *Black Bridge Baptist Chapel (B)*
Mae'r adeilad ar y gongl rhwng Ffordd Llundain a Stryd Wian (Ffigur 6). Cyfeirnod Grid SH 249 820.
Nid yw'r capel hwn wedi bod ar agor ers blynyddoedd. Bu'n warws gwerthu teils am rai blynyddoedd ac ers 2006 mae'n ganolfan gymdeithasol ar gyfer y rhan hon o Gaergybi.

CAERGYBI *Capel Armenia (P)*
Roedd y capel yn Stryd Armenia (Ffigur 6). Cyfeirnod Grid SH 248 829.
Tyfodd yr achos hwn fel cangen o Gapel Hyfrydle. Sefydlwyd Ysgol Sul yn 1854 mewn man o'r enw Ponc yr Efail (yn ardal Quayside). Adeiladwyd capel yn 1860 ar gost o £1100 gyda 200 aelod. Rhoddwyd yr enw Armenia arno oherwydd y gred bod Armenia yn wlad ffrwythlon gyda dau gynhaeaf bob blwyddyn. Daeth yr achos yn annibynnol o Hyfrydle yn 1861. Caewyd ysgoldy Ponc yr Efail ar ôl adeiladu'r capel a defnyddiwyd yr adeilad am gyfnod gan yr Annibynwyr. Ychwanegwyd ysgoldy at Gapel Armenia yn 1883 ar gost o £337. O 1888 fe ddefnyddiwyd ysgoldy Ponc yr Efail unwaith eto gan Gapel Armenia. Yn 1900 adeiladwyd capel hardd am £1475 yn y dull Lombardaidd/Eidalaidd gyda lle i 600 o addolwyr. Roedd rhai yng Nghaergybi yn cyfeirio at Gapel Armenia fel y 'Capel Sidan' oherwydd gwisgoedd y merched oedd yn mynychu'r capel. Roedd Capel Armenia mewn rhan weddol lewyrchus o'r dref. Cafwyd tŷ ar gyfer y gweinidog yn 1926. Gwnaethpwyd gwelliannau yn 1950 ac yn 1961 (ar gyfer canmlwyddiant y capel). Cafwyd organ newydd yn 1964. Yn 1970 unwyd Armenia, Hyfrydle a Phenrhosfeilw yn un ofalaeth. Caeodd Capel Armenia yn 1997 ac fe ymunodd y gynulleidfa â Chapel Hyfrydle. Dymchwelwyd yr adeilad a stad fechan o dai sydd ar y safle erbyn hyn. Yn briodol iawn, Capel Armenia yw enw'r stad.

CAERGYBI *Capel Bethel (B)*
Mae'r adeilad yn Stryd Edmund (Ffigur 6). Cyfeirnod Grid SH 245 824.
Sefydlwyd yr achos tua 1790 ac adeiladwyd y capel cyntaf tua 1809. Bu helaethu ac ailadeiladu yn 1818, 1851 ac yn 1895 adeiladwyd capel

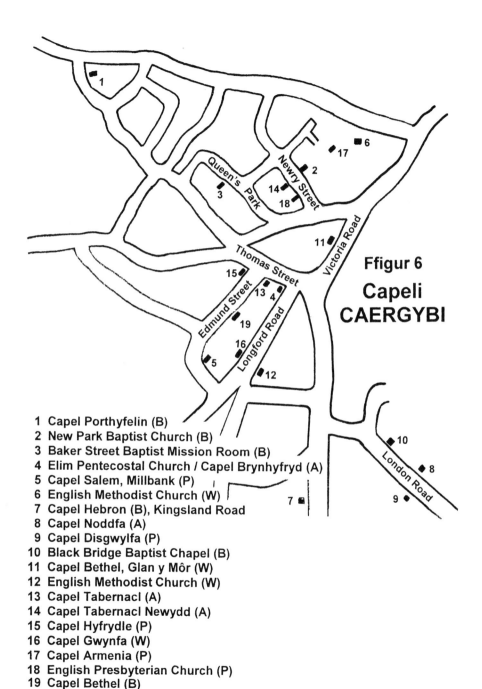

Ffigur 6

Capeli CAERGYBI

1 Capel Porthyfelin (B)
2 New Park Baptist Church (B)
3 Baker Street Baptist Mission Room (B)
4 Elim Pentecostal Church / Capel Brynhyfryd (A)
5 Capel Salem, Millbank (P)
6 English Methodist Church (W)
7 Capel Hebron (B), Kingsland Road
8 Capel Noddfa (A)
9 Capel Disgwylfa (P)
10 Black Bridge Baptist Chapel (B)
11 Capel Bethel, Glan y Môr (W)
12 English Methodist Church (W)
13 Capel Tabernacl (A)
14 Capel Tabernacl Newydd (A)
15 Capel Hyfrydle (P)
16 Capel Gwynfa (W)
17 Capel Armenia (P)
18 English Presbyterian Church (P)
19 Capel Bethel (B)

newydd am £2500. Mae'r capel yn y dull clasurol gyda mynediad talcen. Mae'r ysgoldy hefyd yn dyddio o 1895. Ceir mynwent fechan tu ôl i'r capel. Mae'r capel ar agor. Roedd gan Bethel ysgoldy ym Mhorth y Felin o 1860 (gweler isod).

CAERGYBI *Capel Bethel (W)*
Mae'r adeilad yn Ffordd Fictoria (Ffigur 6). Cyfeirnod Grid SH 248 827.
Dechreuodd yr achos yn 1790 ac adeiladwyd capel yn 1808. Ailadeiladwyd y capel yn 1848 a'i helaethu yn 1866. Bu ailadeiladu pellach yn 1901 ac ychwanegwyd ysgoldy yn 1935. Achoswyd difrod mawr i'r capel gan fomio yr Ail Ryfel Byd. Ailadeiladwyd yn 1955. Erbyn hyn mae'r capel wedi'i droi yn dai annedd ond erys yr ysgoldy sy'n cael ei ddefnyddio gan y Wesleaid Cymraeg a Saesneg eu hiaith. Rhwng 1983 a 1999 roedd pulpud yma oedd yn perthyn ar un adeg i John Wesley. Dychwelwyd y pulpud i'w leoliad gwreiddiol yn y 'New Room' ym Mryste yn 1999 ar ôl absenoldeb o 124 o flynyddoedd.

CAERGYBI *Capel Bethffage (neu Bethphage) (P)*
Mae'r capel yn Lôn Hen Ysgol yn ardal Llaingoch. Cyfeirnod Grid SH 232 827.
Dechreuodd yr achos yn Llaingoch oddeutu 1823 gydag Ysgol Sul. Yn 1835 cafwyd adeilad i'r pwrpas ac yn 1858 fe'i corfforwyd yn achos annibynnol. Yn 1903 adeiladwyd capel newydd gydag ysgoldy a thŷ capel. Roedd y capel yn y dull lled-glasurol gyda mynediad talcen. Bu peth gwaith atgyweirio ar yr adeiladau yn 1956. Ychwanegwyd capel Saesneg Stryd Newry at yr ofalaeth hon yn 1970. Caewyd Capel Bethffage yn 1998 a defnyddir ef at ddibenion masnachol erbyn hyn.

CAERGYBI *Capel Brynhyfryd (A)*
Saif y capel ar y gyffordd rhwng Ffordd Longford a Stryd Thomas (Ffigur 6). Cyfeirnod Grid SH 245 824.
Adeiladwyd y capel yn 1883. Mae'r capel presennol yn dyddio o 1906 wedi'i adeiladu yn y dull lleol diweddarach gyda mynediad wal hir. Mae'r ysgoldy hefyd yn dyddio o 1906. Mae achos yr Annibynwyr yma wedi dod i ben, ond defnyddir yr adeilad gan yr Elim Pentecostal Church.

CAERGYBI *Capel Disgwylfa (P)*
Saif y capel yn Ffordd Llundain (Ffigur 6). Cyfeirnod Grid SH 250 818.
Adeiladwyd Ysgol Sul gan Gapel Hyfrydle (gweler isod) yn 1881, a sefydlwyd yr achos yn ffurfiol yn 1887. Helaethwyd yr adeilad ar gost o

£500 yn 1889. Adeiladwyd y capel presennol yn y dull Romanésg yn 1909 am £4000. Gosodwyd organ bib yn 1924 er cof am aelodau'r capel a gollwyd yn y Rhyfel Byd Cyntaf. Roedd y capel ar agor tan 2001 pan ymunodd y gynulleidfa gyda Chapel Hyfrydle.

CAERGYBI *Capel Ebenezer (P), Kingsland*
Mae'r capel yn Ffordd Kingsland. Cyfeirnod Grid SH 249 812.
Gellir olrhain hanes yr achos hwn i Ysgol Sul a sefydlwyd yn 1813 mewn tŷ o'r enw Bodwradd. Symudodd lleoliad yr ysgol sawl gwaith wedyn. Yn 1826 sefydlwyd Ysgoldy Cweryd a barhaodd tan 1850 pan adeiladwyd y capel cyntaf. Helaethwyd y capel hwnnw yn 1860 a bu atgyweiriadau pellach yn yr 1880au. Cafwyd ysgoldy a thŷ capel yn 1891; y gost oedd £1065. Cafwyd offeryn cerdd am y tro cyntaf yn y capel yn 1897. Yn 1903 agorwyd capel newydd ar gost o £5000; adeiladwyd yn y dull clasurol gyda mynediad talcen. Mae Ebenezer yn adeilad mawr urddasol gyda'r ysgoldy a'r tŷ capel gerllaw. Dywedir mai yng Nghapel Ebenezer, Kingsland y dechreuodd *Band of Hope* Caergybi. Mae'r capel ar gau.

CAERGYBI *Capel Gwynfa (W)*
Mae'r adeilad ar gyffordd rhwng Ffordd Longford a Theras Longford (Ffigur 6). Cyfeirnod Grid SH 245 822.
Agorwyd Capel Gwynfa yn 1888. Adeiladwyd mewn cyfuniad o ddull lled-glasurol a Chelf a Chrefft gyda mynediad talcen. Y pensaer oedd William Lloyd Jones o Fangor. Caeodd y capel yn 1960. Cafodd ei ddefnyddio wedyn gan Fyddin yr Iachawdwriaeth, ond mae'r adeilad yn segur ac mewn cyflwr gwael ar hyn o bryd.

CAERGYBI *Capel Hebron (B)*
Saif y capel ar allt yn Ffordd Kingsland (Ffigur 6). Cyfeirnod Grid SH 248 820.
Adeiladwyd capel yn 1862 ac ailadeiladwyd ef yn 1878 ac yn 1902. Mae ysgoldy ac adeiladau eraill yn y cefn. Mae'n parhau ar agor.

CAERGYBI *Capel Hyfrydle (P)*
Mae'r capel yn Stryd Thomas yn agos at y gyffordd â Rhodfa Ucheldre (Ffigur 6). Cyfeirnod Grid SH 245 826.
Ymddengys bod yr achos yn dyddio'n ôl i 1785. Adeiladwyd y capel cyntaf yn 1808 a bu gwaith ailadeiladu a helaethu yn 1815, 1847 a 1856. Yn 1887 cwblhawyd capel newydd yn y dull clasurol gyda mynediad talcen. Cost ei adeiladu oedd £3512 a'r pensaer oedd Owen Morris

Roberts, Porthmadog. Cafwyd organ bib gwerth £5000 yn 1949. Yn 1964 cafwyd tair ffenestr er cof am Griffith Roberts, un o flaenoriaid y capel. Roedd y cerddor lled adnabyddus William Bradwen Jones (1892-1970) yn organydd yma ar un adeg. Mae'r capel yn adeilad rhestredig gradd 2. Datblygodd Capel Armenia (gweler uchod) o'r achos yn Hyfrydle. Roedd gan Hyfrydle ganghennau yn Llaingoch o 1823 (a ddatblygodd yn ddiweddarach yn Gapel Bethffage), Ffordd Llundain o 1881 (a ddatblygodd yn Gapel Disgwylfa), Ponc yr Efail o 1854 (a ddatblygodd yng Nghapel Armenia) ac Ysgoldy Salem, Teras Millbank o 1880 (gweler isod). Bellach Capel Hyfrydle yw unig gapel y Presbyteriaid Cymraeg yn nhref Caergybi.

CAERGYBI *Capel Noddfa (A)*
Mae'r capel yn Ffordd Llundain ar y gyffordd gyda Stryd Henry (Ffigur 6). Cyfeirnod Grid SH 250 819.
Mae'r capel hwn yn dyddio o 1905. Mae'r capel ar agor.

CAERGYBI *Capel Penrhosfeilw (P)*
Saif y capel ar Ynys Cybi, tua 2 filltir (3.2 km) i'r de-orllewin o dref Caergybi. Cyfeirnod Grid SH 226 806.
Datblygodd yr achos hwn fel cangen o Gapel Hyfrydle, Caergybi. Sefydlwyd Ysgol Sul yma yn y 1830au ac adeiladwyd capel yn 1895. Mae'r capel yn y dull lleol diweddarach gyda mynediad talcen. Caeodd y capel ar ddechrau'r unfed ganrif ar hugain ac mae wedi'i addasu'n dŷ erbyn hyn.

CAERGYBI *Capel Porthyfelin (B)*
Mae'r adeilad yn ardal Porthyfelin (Ffigur 6). Cyfeirnod Grid SH 240 832.
Adeiladwyd y capel hwn yn 1860. Bellach mae yn dai annedd.

CAERGYBI *Capel Seilo (B), Llaingoch*
Saif y capel ar gyrion ardal Llaingoch i'r gorllewin o dref Caergybi. Cyfeirnod Grid SH 229 825.
Adeiladwyd y capel yn 1850 ac ailadeiladwyd ef yn 1897. Mae'n parhau ar agor. Mae'r capel ei hun mewn cyflwr taclus ond mae'r tŷ capel mewn cyflwr gwael.

CAERGYBI *Capel Seion (W), Llaingoch*
Roedd y capel ger Lôn Hen Ysgol yn ardal Llaingoch i'r gorllewin o'r dref. Cyfeirnod Grid SH 230 825.

Dechreuodd yr achos yn 1851 ac adeiladwyd y capel yn 1852. Caewyd Capel Seion yn 1974 ac erbyn hyn mae'r capel wedi'i chwalu.

CAERGYBI *Capel Tabernacl (A)*
Saif y capel yn Stryd Thomas yn agos i'r gyffordd â Stryd y Bedyddiwr (Ffigur 6). Cyfeirnod grid SH 245 825.
Gellir olrhain yr achos yn ôl i 1817 ac fe adeiladwyd y capel tua 1830. Helaethwyd y capel hwnnw yn 1845 a 1856. Ailadeiladwyd y capel yn 1913 gydag organ hardd. Mae'r adeilad mewn dull pensaernïol cymysg – clasurol ac *art nouveau*, gyda bwa mawr. Mae'r capel yn dal ar agor. Roedd Samuel Griffith neu 'Morswyn' (1850-1893) yn godwr canu yng Nghapel Tabernacl. Fe oedd awdur yr emyn adnabyddus 'Craig yr Oesoedd'; ysbrydoliaeth yr emyn oedd yr arfordir creigiog ger Porth Dafarch ar Ynys Cybi. Mae'r capel yn parhau i fod ar agor. Yn y cefn ceir ystafelloedd wedi'u hailadeiladu'n ddiweddar gyda'r enw 'Y Parlyrau.'

CAERGYBI *Capel Tabernacl Newydd (A)*
Roedd y capel yn Stryd Newry (Ffigur 6). Cyfeirnod Grid SH 247 828.
Cwblhawyd y capel yn 1867 i gynllun y Parchedig Thomas Thomas. Ailadeiladwyd yn 1885 a 1913. Caeodd y capel tua 1983, ac mae wedi'i chwalu erbyn hyn. Mae'r safle'n wag.

CAERGYBI *Capel Tabor (A)*
Saif y capel ger Mynydd Tŵr ar gyrion ardal Llaingoch. Cyfeirnod Grid SH 227 828.
Mae'r achos a'r capel cyntaf (a gostiodd £180) yn dyddio o 1848. Ailadeiladwyd ef yn 1905. Mae'r capel ar agor.

CAERGYBI *Elim Pentecostal Church*
Saif y capel hwn yng nghanol tref Caergybi (Ffigur 6). Cyfeirnod Grid SH 245 824.
Mae'r eglwys efengylaidd hon yn defnyddio hen adeilad Capel Brynhyfryd (A) (gweler uchod).

CAERGYBI *English Methodist Church (W)*
Roedd yr eglwys hon yn wreiddiol yn Stryd y Groes (Ffigur 6). Cyfeirnod Grid SH 248 830.
Adeiladwyd y capel cyntaf yn Stryd y Groes yn 1835. Caewyd y capel a chafodd ei ddefnyddio am gyfnod fel golchdy ac yn fwy diweddar fel modurdy. Ymunodd y gynulleidfa gyda Chapel Bethel (W), yn Ffordd Fictoria (gweler uchod). Erbyn hyn mae'r ddwy gynulleidfa yn rhannu ysgoldy Capel Bethel ar ôl i'r capel ei hun gael ei werthu a'i droi'n fflatiau.

CAERGYBI *English Methodist Church (W)*
Mae'r adeilad yn Ffordd Longford, Caergybi (Ffigur 6). Cyfeirnod Grid SH 245 822.
Adeiladwyd yr adeilad bychan hwn yn y dull Gothig. Nid yw'n eglur a yw'r adeilad hwn ar agor fel addoldy ar hyn o bryd.

CAERGYBI *English Presbyterian Church (P)*
Saif y capel yn Stryd Newry (Ffigur 6). Cyfeirnod Grid SH 247 828.
Dechreuodd achos y Presbyteriaid Saesneg mewn ystafell yn Neuadd y Dref Caergybi yn 1885 ac yn 1891 adeiladwyd capel. Mae'r capel yn y dull lled-glasurol gyda mynediad talcen. Yn 1937 cwblhawyd gwaith adeiladu ysgoldy newydd, festri ac ystafelloedd eraill. Mae'r rhain y tu ôl i'r capel. Yn ystod yr Ail Ryfel Byd defnyddiwyd yr ysgoldy ar gyfer 'ifaciwîs' o Lerpwl. Yn 1956 daeth y capel yn rhan o ofalaeth ar y cyd gyda chapel Methodistaidd Cymraeg Armenia. Mae'r capel ar agor.

CAERGYBI *New Park English Baptist Chapel (B)*
Saif y capel yn Stryd Newry, drws nesaf i Neuadd y Dref (Ffigur 6). Cyfeirnod Grid SH 247 829.
Adeiladwyd y capel, a gynlluniwyd gan Charles Rigby, yn 1861. Roedd ysgoldy yn gysylltiedig â'r capel yn ardal Queen's Park (gweler uchod). Mae'r capel, sydd mewn cyflwr taclus, yn parhau i gael ei ddefnyddio.

CAERGYBI *Ysgoldy Salem (P)*
Mae'r ysgoldy gyferbyn â Theras Millbank (Ffigur 6). Cyfeirnod Grid SH 243 821.
Adeiladwyd yr ysgoldy yn 1880 fel rhan o Gapel Hyfrydle. Caewyd yr ysgoldy yn 1998. Defnyddir yr adeilad ar hyn o bryd gan drefnydd angladdau lleol fel capel gorffwys.

CAPEL COCH *Capel Tŷ Mawr (P)*
Mae'r capel yng nghanol y pentref. Cyfeirnod Grid SH 460 825.
Adeiladwyd y capel cyntaf yn 1785 ac ailadeiladwyd ef yn 1812 ac 1865. Bu ailadeiladu pellach yn 1898. Mae'r capel yn y dull lleol diweddarach gyda mynediad wal fer. Roedd gan y capel ysgoldy o'r enw Y Babell (ym mhlwyf Llaneugrad – gweler isod). Y capel hwn a roddodd yr enw i bentref Capel Coch – roedd y capel gwreiddiol wedi'i adeiladu o gerrig cochion. Mae Capel Tŷ Mawr ar agor.

CARREGLEFN *Capel Bethlehem (P)*
Mae'r capel ar ochr ffordd wledig yng Ngharreglefn. Cyfeirnod Grid SH 383 892.
Gellir olrhain yr achos yn ôl i 1787 pan gynhaliwyd cyfarfodydd mewn tŷ

o'r enw Pant y Coli. Adeiladwyd y capel cyntaf yn 1807 a chafwyd capel newydd yn 1854. Cynlluniwyd hwn gan Hugh Jones, Llanfechell yn y dull pengrwn gyda mynediad wal fer. Defnyddiwyd y capel cyntaf fel ysgol ddyddiol tan 1900. Bu gwaith atgyweirio ar y capel yn 1889 (cost £650), a'r ysgoldy (£358) yn 1901. Bu gwelliannau pellach yn y 1930au. Mae'r capel ar agor. Mae Ysgoldy Hafodlas yn gysylltiedig.

CARREGLEFN *Capel Seion (A), Glanrhyd ger Rhosgoch*
Mae'r capel tua 1.5 milltir (2.4 km) i'r gorllewin o Rhosgoch. Cyfeirnod Grid SH 394 895.
Adeiladwyd y capel cyntaf tua 1838 a bu ailadeiladu yn 1891. Mae'r capel yn parhau i fod ar agor.

CEFNIWRCH *Capel Cefniwrch (P)*
Mae'r adeilad yn sefyll ger ochr y B5110 tua 2.5 milltir (4.0 km) i'r gogledd-ddwyrain o Langefni. Cyfeirnod Grid SH 478 794.
Roedd Ysgol Sul yn cael ei chynnal o tua 1819 ymlaen. Adeiladwyd capel yn 1828 ac atgyweiriwyd ef yn y 1860au. Yn 1896 adeiladwyd yr adeilad presennol (am £800) gyda lle i 160 o addolwyr. Caeodd y capel yn y 1970au ac fe ddefnyddir yr adeilad ar hyn o bryd fel tŷ annedd.

CEMAES *Capel Bethel (A)*
Mae'r capel ym mhrif stryd y pentref. Cyfeirnod Grid SH 371 933.
Dechreuodd achos yr Annibynwyr mewn tŷ oddeutu 1806. Symudodd yr achos i hen gapel y Methodistiaid Calfinaidd ac adeiladwyd capel newydd am £220 yn 1827. Mae'r capel mawr presennol yn dyddio o 1910. Mae'n parhau ar agor.

CEMAES *Capel Bethesda (P)*
Mae'r capel ar ochr yr A5025 ar ochr orllewinol y pentref. Cyfeirnod Grid SH 365 931.
Dechreuodd achos y Methodistiaid yn yr ardal tua 1780. Cafwyd capel bach yn 1786 (yn y Penrhyn ddim ymhell o'r môr – gweler isod), ond yn 1817 cwblhawyd capel newydd hardd a galwyd ef yn 'Bethesda'. Yn 1861 adeiladwyd y capel presennol (am £1450) yn y dull pengrwn gyda mynediad wal fer. Yn 1894 codwyd ysgoldy (am £450). Yn 1903 adeiladwyd tŷ i'r gweinidog (Ael y Bryn) ar gost o £1000. Mae mynwent wrth ochr y capel. Mae'r capel ar agor.

CEMAES *Capel Bethlehem (B)*
Mae'r capel ar ochr ddwyreiniol y pentref. Cyfeirnod Grid SH 373 935.
Roedd capel bychan wedi'i adeiladu yn 1823 ond cafwyd capel mwy helaeth yn 1856. Cafodd y capel hwnnw ei helaethu drachefn ychydig o flynyddoedd yn ddiweddarach. Ar y dechrau roedd y capel hwn yn un o ganghennau Capel Salem, Amlwch. Mae'n parhau ar agor.

CEMAES *Capel Moreia (P)*
Mae'r capel oddeutu 1.5 milltir (2.4 km) i'r gogledd-ddwyrain o bentref Cemaes. Cyfeirnod Grid 393 944.
Adeiladwyd yr ysgoldy/capel bach hwn yn 1826 fel cangen o Gapel Bethesda (P), Cemaes. Corfforwyd fel achos annibynnol yn 1863. Cwblhawyd gwaith adnewyddu yn 1902. Mae'r capel yn y dull lleol diweddarach gyda mynediad talcen. Mae'n parhau ar agor.

CEMAES *Ysgoldy Penrhyn (P)*
Mae'r adeilad oddeutu 0.5 milltir (0.8 km) i'r gogledd-orllewin o ganol pentref Cemaes. Cyfeirnod Grid SH 368 937.
Roedd yr adeilad hwn yn dyddio o 1786. Ailadeiladwyd yn 1899 ar gost o £500. Nid yw ar agor bellach.

CERRIG MÂN *Capel Caersalem (W)*
Roedd y capel ar ochr yr A5025. Cyfeirnod Grid SH 455 910.
Mae'r capel cyntaf ar y safle yn dyddio o 1842. Ymddengys iddo ddod i feddiant y Wesleaid oddi wrth enwad arall tua 1847. Ailadeiladwyd yn 1854 yn y dull Gothig syml a lleol gyda mynediad wal hir. Caeodd y capel yn 1937.

COEDANA *Ysgoldy (P)*
Mae'r adeilad ar ochr y B5111. Cyfeirnod Grid SH 431 824.
Roedd yr adeilad hwn yn ysgoldy ar gyfer Capel Jerusalem (P), Llannerch-y-medd. Fe werthwyd yr adeilad yn 1950 ac mae'n dŷ annedd ar hyn o bryd.

DOTHAN *Capel Dothan (P)* (gweler Aberffraw)

DWYRAN *Capel Dwyran (P)*
Mae'r capel yng nghanol y pentref. Cyfeirnod Grid SH 448 659.
Adeiladwyd y capel cyntaf yn 1814. Ailadeiladwyd capel gydag oriel yn 1841. Yn 1869 cafwyd capel newydd hardd ac ychwanegwyd

ystafelloedd newydd yn 1897. Mae'r capel yn y dull Lombardaidd/Eidalaidd gyda mynediad talcen wedi'i gynllunio gan Richard Owen, Lerpwl. Cafwyd organ newydd yn 1938 a defnyddiwyd goleuni trydan am y tro cyntaf yn 1949. Mae mynwent a thŷ capel ar y safle. Roedd gan y capel ysgoldy yn Nhy'n y Goeden oddeutu milltir i'r de o'r pentref, ond ni ddefnyddiwyd ef ers blynyddoedd ac mae mewn cyflwr gwael. Mae'r capel ei hun ar agor ond mae'r ysgoldy sydd gyferbyn mewn cyflwr gwael. Mae Capel Dwyran ar agor.

DWYRAN *Capel Elim (A)*
Roedd y capel yng nghanol y pentref. Cyfeirnod Grid SH 450 659.
Adeiladwyd Capel Elim yn 1849 am £180 yn dilyn Diwygiad 1839-40. Cafodd ei gau ym mlynyddoedd cynnar yr ugeinfed ganrif. Ers hynny mae'r adeilad wedi'i ddefnyddio fel gweithdy saer a siop.

DWYRAN *Ysgoldy Teman (A)*
Mae'r adeilad ger eglwys Llangeinwen. Cyfeirnod Grid SH 440 658.
Agorwyd yr ysgoldy yn 1815. Erbyn hyn mae'r adeilad yn dŷ annedd a'i enw yw 'Ysgoldy'.

ENGEDI *Capel Engedi (P)*
Saif y capel ar ochr yr A4080 yn y pentref. Cyfeirnod Grid SH 363 763.
Bu Ysgol Sul yn yr ardal am dros 50 mlynedd cyn adeiladu'r capel yn 1881. Mae'r adeilad yn y dull lleol diweddarach gyda mynediad talcen. Mae tŷ capel wrth ei ochr. Arferid galw'r capel yn 'Capel Robert Evans' ar ôl y prif ymgyrchydd am gapel yn y fro hon. Daeth enw'r pentref o enw'r capel. Atgyweiriwyd y capel yn 1931. Mae'r capel ar agor.

FFINGAR *Capel Cefn Bach (P)*
Mae'r adeilad tua 0.4 milltir (0.7 km) o'r A4080 ym mhlwyf Llanedwen. Cyfeirnod Grid SH 508 694.
Cynhaliwyd Ysgol Sul yn yr ardal hon am oddeutu 40 mlynedd cyn adeiladu'r capel yn 1863. Mae'r adeilad yn y dull lleol gyda mynediad talcen. Gwnaethpwyd gwaith adnewyddu yn 1896. Gwerthwyd y capel a'r tŷ capel yn 2006.

GAERWEN *Capel Disgwylfa (P)*
Cyfeirnod Grid SH 486 716.
Adeiladwyd y capel cyntaf yn 1799 a'r ail gapel yn 1827. Mae'r fynwent yn dyddio o 1892. Ailadeiladwyd unwaith eto yn 1904 a chodwyd

ysgoldy, tŷ capel ac adeiladau eraill am £3500. Mae'r capel yn adeilad uchel yn y dull clasurol gyda mynediad talcen (dau ddrws). Yn y capel mae tabled coffa i'r Parchedig Robert Hughes (bu farw yn 1894 yn 90 oed) a wasanaethodd y capel am 60 mlynedd. Rhoddwyd trydan yn y capel yn 1938. Mae'r capel ar agor.

GAERWEN *Capel Moriah (B)*
Saif y capel ar ochr yr A5 yng nghanol y pentref. Cyfeirnod Grid SH 483 720.
Adeiladwyd y capel gwreiddiol yn 1851 ac ailadeiladwyd ef yn 1876. Mae Moriah yn gapel cymharol fychan gyda mynediad talcen; mae mewn cyflwr taclus a cheir mynwent wrth ochr yr adeilad. Mae'r capel ar agor

GWALCHMAI *Capel Gwalchmai (B)*
Mae'r capel yng nghanol y pentref. Cyfeirnod Grid SH 388 763.
Adeiladwyd y capel bychan hwn yn 1890. Mae'r capel wedi cau erbyn hyn ac mae'n cael ei ddefnyddio fel neuadd ar gyfer yr henoed.

GWALCHMAI *Capel Jerusalem (P)*
Mae'r capel tua 0.5 milltir (0.8 km) i'r de o'r pentref. Cyfeirnod Grid SH 391 758.
Dechreuodd yr achos tua 1780 mewn tŷ o'r enw Cemmaes Bach. Adeiladwyd y capel cyntaf yn 1789, yr ail gapel yn 1810 a'r trydydd yn 1849. Yn 1924 gwariwyd £4000 ar atgyweirio'r capel. Mae'r adeilad yn y dull clasurol gyda mynediad wal fer. Cafwyd estyniad i'r fynwent yn 1967. Yn 1969 rhoddwyd to newydd ar y capel. Mae'n parhau ar agor.

GWALCHMAI *Capel Moriah (A)*
Saif y capel ar ochr yr A5 yng nghanol y pentref. Cyfeirnod Grid SH 387 763.
Sefydlwyd yr achos yn 1844 ac adeiladwyd y capel yn 1847 am £120. Ailadeiladwyd y capel yn 1892 a'i helaethu yn 1901. Mae ysgoldy a thŷ capel ar y safle. Mae'n parhau ar agor.

HERMON *Capel Hermon (A)*
Roedd y capel yng nghanol y pentref. Cyfeirnod Grid SH 390 689.
Dechreuodd yr Annibynwyr gyfarfod mewn tŷ o'r enw Pen-yr-Allt yn 1813. Adeiladwyd y capel cyntaf yma yn 1815 am £40 ac atgyweiriwyd ef yn 1843 am £140. Adeiladwyd capel newydd yn 1871 yn y dull Gothig gyda mynediad talcen. Y pensaer oedd Richard Thomas, Porthaethwy. Fe dyfodd pentref Hermon o gwmpas y capel a chymryd ei enw. Bu'r capel yn segur am flynyddoedd a gadawyd yr adeilad am flynyddoedd yn ystod y 1990au wedi hanner ei chwalu. Erbyn hyn mae'r capel wedi diflannu ac mae tŷ annedd ar y safle.

LLANALLGO *Capel Paradwys (P)*
Mae'r capel wrth y gylchfan. Cyfeirnod Grid SH 504 854.
Mae cofnod o addoldy Methodistaidd mewn lle o'r enw Y Gell yn Llanallgo yn 1800. Roedd hwn yn gangen o Gapel Waen Eurad (Llanbedr-goch). Adeiladwyd capel o'r enw Y Gell yn 1805. Ailadeiladwyd y capel hwn yn 1857 a defnyddiwyd Ysgoldy Marianglas tra roedd y gwaith yn cael ei wneud. Rhoddwyd yr enw Paradwys ar y capel helaeth hwn. Yn 1897 penderfynwyd cael capel newydd unwaith eto a chwblhawyd y gwaith adeiladu ym mis Hydref 1899 ar gost o £2000. Tra roeddynt yn adeiladu defnyddiwyd Ysgoldy Marianglas unwaith eto. Roedd y capel newydd yn y dull Lombardaidd/Eidalaidd gyda mynediad talcen (dau ddrws). O gwmpas y capel ceir ysgoldy, tŷ capel ac adeiladau eraill. Roedd gan Gapel Paradwys ddau ysgoldy – un yn y capel a'r llall ym Marianglas. Ni chafodd y capel ei weinidog cyntaf tan 1915 pan benodwyd y Parchedig R. R. Jones. Yn 1939 gwariwyd £200 i roi trydan yn y capel. Mae'r capel ar agor.

LLANBEDR-GOCH *Capel Glasinfryn (P)*
Mae'r capel ar ochr y ffordd yng ngogledd y pentref. Cyfeirnod Grid SH 509 808.
Dechreuodd achos y Methodistiaid mor bell yn ôl â'r 1750au gyda gwasanaethau mewn un o adeiladau fferm Waen Eurad sydd nepell o'r capel presennol. Ymddengys bod capel mewn bodolaeth tua 1790. Yn 1853 cwblhawyd ail gapel a bu ailadeiladu unwaith eto yn 1892 (am £800). Mae'r capel yn adeilad gweddol fychan yn y dull lled-glasurol a lleol gyda mynediad talcen. Y Parchedig William Pritchard (1841-1921) oedd gweinidog cyntaf Capel Glasinfryn (o 1905 hyd at 1917). Mae'r enw Waen Eurad yn parhau i gael ei arddel gan rai. Mae'r capel ar agor.

LLANDEGFAN *Capel Barachia (P)*
Mae'r capel ar ochr ddwyreiniol y pentref. Cyfeirnod Grid SH 570 747.
Ymddengys i'r achos ddechrau tua 1816 gyda chyfarfodydd mewn tŷ annedd. Adeiladwyd y capel cyntaf yn 1821 ac fe gwblhawyd capel newydd yn 1859. Yn 1884 agorwyd Ysgol Sul yn Nhanyffordd (ddim ymhell o'r Garth). Helaethwyd y fynwent yn 1897 ac yn 1900 cwblhawyd capel newydd yn y dull lled-glasurol a Chelf a Chrefft gyda mynediad talcen. Yn y flwyddyn ddilynol adeiladwyd tŷ capel ac adeiladau eraill. Roedd cyfanswm cost y gwaith adeiladu, yn cynnwys y capel, yn £2150. Prynwyd tŷ o'r enw Llys Tegfan fel cartref i'r gweinidog am £700 yn 1928, ond fe'i gwerthwyd yn 1942 a defnyddio tŷ rhent ar gyfer y gweinidog. Yn 1958 fe brynwyd Llys Tegfan unwaith eto. Mae'r capel ar agor.

LLANDEGFAN *Capel Sion (B)*
Roedd y capel ar gyrion deheuol y pentref. Cyfeirnod Grid SH 570 738.
Adeiladwyd y capel cyntaf yma yn 1815. Ailadeiladwyd yn 1837, ei helaethu yn 1839, ac yn 1867 bu ailadeiladu pellach. Erbyn hyn mae'r capel wedi cau ac wedi'i ddymchwel.

LLANDRYGARN *Capel Ebenezer (W)*
Mae'r capel ar y groesffordd ym mhentref Trefor. Cyfeirnod Grid SH 374 800.
Adeiladwyd y capel Wesleaidd cyntaf yn Nhrefor yn 1804 (Capel y Stars). Hwn oedd capel cyntaf yr enwad ar Ynys Môn. Adeiladwyd y capel presennol yn 1833 yn y dull Gothig syml gyda mynediad talcen. Codwyd hwn o ganlyniad i fudiad y Wesle Bach (gweler Pennod 2). Mae'n parhau ar agor.

LLANDRYGARN *Capel Seion (P)*
Mae'r capel tua 0.4 milltir (0.6 km) o'r B5109. Cyfeirnod Grid SH 395 801.
Mae hanes yr achos yn dyddio'n ôl i 1792 ym Mhentre Bwäu. Yn 1817 yr adeiladwyd Capel Seion. Yn 1927 cwblhawyd gwaith atgyweirio ar y capel yn ogystal ag ysgoldy newydd (£1000). Yng Nghapel Seion y traddododd Dr John Williams (Brynsiencyn) ei bregeth olaf ar 4 Hydref 1921; bu farw tua mis yn ddiweddarach. Hefyd dywedir mai yr enwog John Elias oedd y cyntaf i bregethu ym mhulpud presennol Capel Seion. Mae'r capel ar agor.

LLANDDANIEL-FAB *Capel Cana (A)*
Saif y capel tua 200m o eglwys y plwyf. Cyfeirnod Grid SH 494 704.
Mae'r achos hwn yn dyddio o 1822 yng Ngharreg-y-Ddyfnallt. Adeiladwyd y capel cyntaf yn 1825 am £140 ac ailadeiladwyd ef yn 1855 am £100, gan ei helaethu yn 1862 (am £400) ac wedyn yn 1907. Mae'r capel (sy'n adeilad rhestredig gradd 2) yn y dull clasurol gyda mynediad talcen (dau ddrws). Mae ysgoldy yn gysylltiedig â'r capel yn ogystal â mynwent. Mae'r capel ar agor

LLANDDANIEL-FAB *Capel Preswylfa (P)*
Mae'r adeilad yng nghanol y pentref nepell o eglwys y plwyf. Cyfeirnod Grid SH 495 705.
Cwblhawyd Capel Preswylfa ym mis Tachwedd 1909, y capel ieuengaf gan y Presbyteriaid yn ne'r ynys. Adeiladwyd yn y dull Celf a Chrefft (a oedd mor nodweddiadol o ddechrau'r ugeinfed ganrif) gyda mynediad talcen. Cost yr adeilad a'i ddodrefnu oedd £560. Pwrpas y capel oedd gwasanaethu trigolion y pentref a oedd cyn hynny yn teithio i Gapel

Disgwylfa, Gaerwen. Ar y dechrau roedd 30 o aelodau. Rhoddwyd trydan yn yr adeilad yn 1952. Mae'r capel bellach wedi cau ac wedi'i werthu ers 2002. Ar hyn o bryd mae'n dŷ annedd.

LLANDDEUSANT *Capel Bethania (A)*
Mae'r capel ar gyrion gogleddol y pentref. Cyfeirnod Grid SH 351 856.
Roedd cyfarfodydd gan yr Annibynwyr yn y 1750au yn Clwch Hir (ar dir Clwchdernog). Adeiladwyd y capel cyntaf yn 1795 ac fe helaethwyd hwnnw yn 1823. Cwblhawyd ail gapel am £200 yn 1844; mae wedi'i adeiladu yn y dull lleol gyda mynediad wal hir. Mae mynwent yn gysylltiedig â'r capel. Mae'n parhau ar agor.

LLANDDEUSANT *Capel Elim (P), Treffynon*
Mae'r capel yn ochr ddwyreiniol y plwyf. Cyfeirnod Grid SH 355 847.
Ymddengys bod achos yn bodoli am gyfnod cyn adeiladu'r capel cyntaf yn 1822. Roedd yn gangen o Gapel Ty'n y Maen ac ar y dechrau roedd oddeutu 40 aelod. Tua 1863 cwblhawyd capel newydd a chafodd ei atgyweirio yn helaeth yn 1907. Yn anffodus yn 1912 bu tân dinistriol a dim ond muriau'r capel oedd ar ôl. Yn 1913 cwblhawyd capel newydd yn y dull lled-glasurol a lleol diweddarach gyda mynediad wal fer. Roedd ysgoldy yn perthyn i'r capel (Ysgoldy Pisgah – gweler isod). Mae mynwent yn gysylltiedig â'r capel, sy'n parhau ar agor.

LLANDDEUSANT *Capel Horeb (B), Treffynon*
Mae'r capel yn ochr ddwyreiniol y plwyf. Cyfeirnod Grid SH 355 849.
Sefydlwyd yr achos yn 1816 ac adeiladwyd y capel cyntaf yn 1822 gan ei helaethu yn 1860. Ailadeiladwyd y capel yn 1891 yn y dull pengrwn syml gyda mynediad talcen. Mae'r capel wedi cau ers 2001.

LLANDDEUSANT *Ysgoldy Pisgah (P)*
Mae'r adeilad yng nghanol y pentref. Cyfeirnod Grid SH 344 852.
Roedd yr ysgoldy yn gysylltiedig â Chapel Elim (gweler uchod). Gwerthwyd yr adeilad am £400 yn 1968. Bellach mae'n dŷ annedd.

LLANDDONA *Capel Bethel (W)*
Mae'r adeilad yn y pentref. Cyfeirnod Grid SH 576 797.
Cwblhawyd y capel hwn oddeutu 1850 ond bu achos am beth amser cyn hynny. Mae'r adeilad yn y dull pengrwn syml a lled-glasurol gyda mynediad talcen. Mae'r capel wedi cau ers blynyddoedd ac fe'i defnyddir heddiw fel neuadd y pentref.

LLANDDONA *Capel Peniel (P)*
Mae'r capel yn Lôn y Capel. Cyfeirnod Grid SH 574 794.
Adeiladwyd y capel cyntaf oddeutu 1814. Cwblhawyd gwaith ailadeiladu yn 1850 ac yn 1888 gwnaethpwyd gwaith helaethu ac ailadeiladu pellach (am £550). Mae'r capel yn y dull lleol gyda mynediad wal fer. Yn 1953 trawyd y capel gan fellten gan achosi cryn ddifrod. Roedd mwy nag un Ysgol Sul yn gysylltiedig â'r capel hwn: Ysgoldy Llaniestyn (adeiladwyd 1853, trawyd gan fellten 1897 a chaewyd yn 1923), Ysgoldy Sling (rhwng Llanddona a Biwmares a adeiladwyd yn yr 1880au ac a gaewyd yn 1955), Ysgoldy Glan y Môr (yn agos at draeth Llanddona, agorwyd yn 1893 a gwerthwyd yn 1952 – erbyn hyn mae'n dŷ annedd.) Cafwyd organ drydan yn 1963. Mae'r capel ar agor.

LLANEDWEN *Capel Cefn Bach (P)* (gweler Ffingar)

LLANEILIAN *Capel Bethania (B)*
Mae'r adeilad yn ochr orllewinol y plwyf. Cyfeirnod Grid SH 460 925.
Mae'r capel yn dyddio o 1851 ond ailadeiladwyd ef yn ddiweddarach yn y bedwaredd ganrif a'r bymtheg. Mae'r adeilad yn y dull lleol diweddarach gyda mynediad wal hir. Erbyn hyn mae'r capel wedi cau.

LLANEILIAN *Capel Seilo (P), Pengorffwysfa*
Mae'r capel mewn ardal sydd wedi cymryd enw'r capel. Cyfeirnod Grid SH 467 921.
Cynhaliwyd Ysgol Sul mewn mwy nag un lle yn yr ardal ac yn 1817 cafwyd tŷ o'r enw Pengorffwysfa ar rent a'i ddodrefnu fel ysgoldy. Yn 1826 adeiladwyd capel bychan o'r enw Seilo (neu 'Siloh'). Adeiladwyd capel mwy yn 1835 gan ei helaethu yn ddiweddarach. Mae'r capel yn y dull lled-glasurol a lleol gyda mynediad wal fer. Adeiladwyd ysgoldy (am £400) yn 1896. Atgyweiriwyd y capel unwaith eto yn y 1920au, ac yn 1936 adeiladwyd tŷ ar gyfer y gweinidog. Erbyn hyn mae'r capel wedi cau ond cynhelir gwasanaethau yn yr ysgoldy.

LLANEUGRAD *Ysgoldy'r Babell (P)*
Mae'r adeilad tua 1.5 milltir (2.4 km) i'r dwyrain o Maenaddwyn. Cyfeirnod Grid SH 475 835.
Roedd yr ysgoldy hwn yn perthyn i Gapel Tŷ Mawr, Capel Coch. Fe gynhaliwyd gwasanaethau am beth amser ond dim ond Ysgol Sul fu yma o 1936 ymlaen. Mae'r adeilad yn y dull lleol gyda mynediad talcen. Erbyn hyn fe'i defnyddir fel storfa.

LLANFACHRAETH *Capel Abarim (P)*

Mae'r capel yng ngogledd pentref Llanfachraeth. Cyfeirnod Grid SH 314 828.
Dechreuodd achos mewn Ysgol Sul cyn 1800 ond caewyd ef ar ôl agor Capel Ty'n y Maen (1800) a Chapel Salem, Llanfwrog (1811). Ailddechreuodd yr Ysgol Sul yn Llanfachraeth yn 1828, ac yn 1862 adeiladwyd Capel Abarim. Cafodd ei atgyweirio yn 1908. Mae'r adeilad yn y dull pengrwn syml a Chelf a Chrefft gyda mynediad wal fer. Mae tŷ capel hefyd ar y safle. Mae'r capel ar agor.

LLANFACHRAETH *Capel Bethesda (A)*

Mae'r adeilad yng nghanol y pentref. Cyfeirnod Grid SH 314 824.
Cwblhawyd y capel am oddeutu £200 yn 1835. Gweinidog y capel yng nghanol y bedwaredd ganrif ar bymtheg oedd y Parchedig John Hughes (Y Gof Bach). Roedd yr adeilad yn adfail cyn diwedd yr ugeinfed ganrif ac mae bellach wedi'i addasu'n gartref.

LLANFACHRAETH *Capel Pont yr Arw (B)*

Mae'r capel ar gyrion deheuol y pentref. Cyfeirnod Grid SH 316 822.
Mae'r achos yn dyddio'n ôl i 1787 o leiaf. Ymddengys bod capel yn bodoli yma tua 1810 a gwnaethpwyd gwaith ailadeiladu a helaethu yn 1837 a 1860. Mae ysgoldy, tŷ capel a mynwent helaeth ar y safle. Ar wal allanol y capel mae plac er cof am Thomas Jesse Jones (1873-1950). Cafodd ei eni yn Llanfachraeth ond symudodd y teulu i'r America pan oedd yn 11 oed. Yno daeth yn gymdeithasegwr a chyflwynodd Feibl er cof am ei rieni i Gapel Pont yr Arw yn 1933. Mae'r capel ar agor.

LLANFAELOG *Capel Rehoboth (A)*

Mae'r capel ar yr A4080 tua 1.5 milltir (2.4 km) i'r dwyrain o bentref Rhosneigr. Cyfeirnod Grid SH 334 733.
Adeiladwyd y capel yn 1837. Cost adeiladu'r capel a thŷ'r capel oedd £140. Cafodd y capel ei atgyweirio yn 1927. Mae'n parhau ar agor.

LLANFAETHLU *Capel Ebenezer (P)*

Mae'r capel yng nghanol y pentref. Cyfeirnod Grid SH 313 869.
Sefydlwyd achos yn Llanfaethlu fel cangen o Gapel Ty'n y Maen (Llanfigael) yn 1839 ac adeiladwyd y capel cyntaf yn 1840. Ailadeiladwyd y capel yn 1878 (£746). Yn 1908 cwblhawyd capel newydd gydag ysgoldy a thŷ capel ar gost o dros £3000. Adeiladwyd tŷ ar gyfer y gweinidog yn 1930. Yn ystod y 1930au cafwyd mynwent. Mae'r capel ar agor.

LLANFAETHLU *Capel Soar (B)*
Mae'r adeilad tua 0.5 milltir (0.8 km) i'r de-ddwyrain o'r pentref. Cyfeirnod Grid SH 320 864.
Roedd achos yn bodoli yma yn y ddeunawfed ganrif. Adeiladwyd y capel cyntaf yn 1808 mewn man arall. Yn 1836 adeiladwyd capel newydd a chafodd hwnnw ei adnewyddu gydag ychwanegiad organ yn 1879. Yn 1903 cwblhawyd capel a thŷ capel newydd am dros £1300. Mae'r capel yn y dull pengrwn gyda mynediad talcen. Mae mynwent helaeth wrth ymyl y capel.

LLANFAIR MATHAFARN EITHAF *Capel Seion (B)*
Mae'r capel mewn man anghysbell heb fod yn bell o eglwys y plwyf. Cyfeirnod Grid SH 507 831.
Sefydlwyd yr achos yn 1782 ac adeiladwyd y capel cyntaf yn 1803. Ailadeiladwyd y capel yn 1813 a'i helaethu yn 1852. Mae Seion yn gapel bychan gyda chyntedd to fflat o'i flaen. Ymddengys ei fod mewn cyflwr gweddol ond nid yw'n eglur a yw'r capel yn parhau i fod ar agor.

LLANFAIR MATHAFARN EITHAF *Capel Tabernacl (P)*
Mae'r capel tua 1.0 milltir (1.6 km) o ganol Benllech. Cyfeirnod Grid SH 504 823.
Roedd yr achos hwn yn gangen o Gapel Glasinfryn, Llanbedr-goch ar y dechrau. Adeiladwyd y capel cyntaf yn 1820 a'i helaethu yn 1824 a'i ailadeiladu yn 1834. Atgyweiriwyd tu mewn y capel yn 1878; y pensaer oedd Richard Owen. Mae'r Tabernacl yn adeilad uchel sylweddol ei faint yn y dull lleol. Atgyweiriwyd y tŷ capel yn 1885 a 1924. Ehangwyd y fynwent yn 1922. Pregethodd yr enwog Evan Roberts yn y Tabernacl o flaen cynulleidfa o 800 ar 1 Gorffennaf 1905. Bu lleihad yn aelodaeth y Tabernacl yn dilyn agor capeli Methodistaidd Saron, Traeth Coch (1830au) a Benllech (1900). Mae'r capel ar agor.

LLANFAIRPWLL GWYNGYLL *Capel Ebenezer (A)*
Mae'r capel yn Lôn Foel Graig. Cyfeirnod Grid SH 534 717.
Adeiladwyd y capel cyntaf yma yn 1805 gan ei ailadeiladu yn 1839. Gwnaethpwyd gwaith adnewyddu ac ychwanegu ysgoldy yn 1993. Mae'r capel yn y dull lleol gyda mynediad talcen. Mae'r capel ar agor.

LLANFAIR PWLLGWYNGYLL *Capel Rhos y Gad (P)/Eglwys Unedig Rhos y Gad*
Saif y capel yn Ffordd Penmynydd. Cyfeirnod Grid SH 527 718.
Mae achos y Methodistiaid yn Llanfair Pwllgwyngyll yn dyddio o tua 1785 pan ddechreuwyd cynnal Ysgol Sul. Adeiladwyd y capel cyntaf yn

Nryll y Bowl (yn y pentref uchaf). Yn ddiweddarach daeth Capel Beth-peor, ac fe adeiladwyd Capel Rhos y Gad yn 1873 (gyda lle ar gyfer 450 o addolwyr). Yn anffodus lladdwyd un gweithiwr wrth adeiladu'r capel. Mae'n gapel sylweddol ei faint ac yn y dull lled-glasurol gyda mynediad talcen (dau ddrws). Mae'n adeilad rhestredig gradd 2. Yn 1896 ychwanegwyd ysgoldy ac ystafelloedd eraill. Cafwyd tŷ ar gyfer y gweinidog yn 1899. Atgyweiriwyd yr adeiladau yn 1922 ac yn 1932 pan osodwyd trydan ynddynt. Ar hyn o bryd mae cynlluniau i ddymchwel rhai o'r adeiladau ar y safle a gwneud gwaith addasu. Fe fagwyd Syr John Morris-Jones yng Nghapel Rhos y Gad, a'i dderbyn yn gyflawn aelod yn 1879. Yn ystod Diwygiad 1904-05 daeth Evan Roberts i Lanfairpwll a chynnal ei gyfarfod olaf ar Ynys Môn ar 3 Gorffennaf, 1905. Mae'r capel ar agor.

LLANFAIR PWLLGWYNGYLL *Capel Salem (W)*
Roedd y capel ar ochr orllewinol pentref Llanfair Pwllgwyngyll. Cyfeirnod Grid SH 524 717.
Adeiladwyd y capel cyntaf yn 1805. Ailadeiladwyd y capel yn 1840 a chafwyd trydydd capel yn 1885. Caewyd y capel yn 1974 ac erbyn oddeutu 1980 roedd wedi'i chwalu. Archfarchnad sydd ar y safle erbyn hyn. Symudodd y Wesleaid i'r hen dolldy (yr ochr arall i'r pentref) i gynnal gwasanaethau.

LLANFAIR-YNG-NGHORNWY *Capel Nebo (W)*
Mae'r adeilad yng nghanol y pentref. Cyfeirnod Grid SH 320 913.
Adeiladwyd y capel yn 1807. Ailadeiladwyd yn 1896; y pensaer oedd William Lloyd Jones o Fangor. Erbyn hyn mae'r adeilad yn dŷ annedd.

LLANFAIRYNGHORNWY *Capel Salem (P)*
Mae'r capel yng nghanol y pentref. Cyfeirnod Grid SH 319 913.
Adeiladwyd ysgoldy yma yn 1819 fel cangen o Gapel Hen Bethel, Llanrhuddlad. Adeiladwyd Capel Salem yn 1839 gyda'r addolwyr yn aelodau o Gapel Hen Bethel. Ni chorfforwyd eglwys annibynnol yma tan 1863. Yn 1901 agorwyd capel newydd ac addaswyd yr hen gapel yn ddau dŷ. Mae'r capel yn y dull pengrwn syml gyda mynediad talcen. Mae'n parhau ar agor.

LLANFAIR-YN-NEUBWLL *Capel Siloam (A)*
Mae'r adeilad mewn man anghysbell tua 2 filltir (3.2 km) i'r de o'r A5. Cyfeirnod Grid SH 304 768.

Codwyd y capel cyntaf yn 1843 am £50 ac ailadeiladwyd yn 1903. Erbyn hyn defnyddir yr adeilad fel tŷ annedd.

LLANFECHELL *Capel Ebenezer (A)*
Mae'r capel ychydig i'r de-orllewin o'r pentref. Cyfeirnod Grid SH 365 909.
Adeiladwyd y capel cyntaf am £150 yn 1805. Adeiladwyd capel newydd yn 1862 am £700 gyda haelioni dau frawd o'r enw Lewis, yn wreiddiol o Gemaes ond yn byw yn Lerpwl. Bu gwaith adnewyddu pellach yn 1883. Mae'r capel yn y dull Gothig syml. Mae'n ddiddorol nodi y defnyddiwyd harmoniwm yng Nghapel Ebenezer mor gynnar â 1865. Mae'r capel ar agor.

LLANFECHELL *Capel Libanus (P)*
Mae'r capel yng nghanol y pentref. Cyfeirnod Grid SH 369 912.
Mae hanes yr achos yn yr ardal yn dyddio'n ôl i 1815 pan sefydlwyd Ysgol Sul yn Hafod Las (1.5 milltir o bentref Llanfechell). Yn 1823 sefydlwyd ysgoldy yn y pentref ei hun. Yn 1832 adeiladwyd ysgoldy ar dir John Hughes, Lleugwy. Chwalwyd yr ysgoldy hwn yn 1850 a chodi Capel Libanus. Roedd yr enwog John Elias yn aelod yno. Yn ystod Diwygiad 1859-60 bu cyfarfodydd gweddi nodedig yng Nghapel Libanus ac yn ôl yr hanes roedd trigolion yr ardal yn tyrru yno. Helaethwyd y capel yn fuan wedyn (1862). Yn 1883 adeiladwyd ystafell o'r enw Elwyn Hall (trwy haelioni un Robert Jones, Bod Elwyn). Yn 1903 fe adeiladwyd y capel presennol am £965. Mae yn y dull clasurol gyda mynediad talcen. Yn 1914 chwalwyd Elwyn Hall a thŷ'r capel ac fe adeiladwyd yr ystafelloedd presennol. Mae'r capel ar agor.

LLANFIGAEL *Capel Ty'n y Maen (P)*
Mae'r capel mewn ardal o'r enw Stryd y Facsen. Cyfeirnod Grid SH 330 835.
Codwyd y capel cyntaf yn 1800 ac mae felly yn un o'r capeli Methodistaidd cyntaf ar Ynys Môn. Atgyweiriwyd y capel hwn yn 1868. Yn 1904 adeiladwyd capel newydd am £700. Ymysg y creiriau yn y capel mae cadair a oedd yn perthyn i John Jones, Bodnolwyn Wen; ef oedd arolygwr neu 'esgob' cyntaf y Methodistiaid Calfinaidd ym Môn. Mae Capel Ty'n y Maen ar agor.

LLANFWROG *Capel Salem (P)*
Mae'r adeilad yng nghanol y pentref. Cyfeirnod Grid SH 301 844.
Roedd achos yn yr ardal yn y ddeunawfed ganrif ac adeiladwyd y capel bach cyntaf yn 1811. Ailadeiladwyd y capel a helaethu'r tŷ capel yn 1858. Helaethwyd y capel ac ychwanegwyd festri yn 1901-02. Mae'r adeilad yn

y dull lled-glasurol a lleol diweddar, gyda mynediad talcen. Caeodd Capel Salem yn 1998.

LLANGAFFO *Capel Bethania (P)*
Mae'r capel yng nghanol y pentref. Cyfeirnod Grid SH 444 684.
Adeiladwyd Capel Bethania yn 1832. Adeiladwyd capel newydd yn 1851. Ychwanegwyd ysgoldy ac adeiladau eraill yn 1890 (am £478). Cafwyd offeryn cerdd yn 1898. Adeiladwyd trydydd capel yn 1901; mae yn y dull lleol a lled-glasurol gyda mynediad talcen. Cafwyd tŷ i'r gweinidog am £1164 yn 1924. Cafwyd trydan yn y capel yn 1950. Yn 1968 gwerthwyd tŷ'r gweinidog am £3000 a defnyddiwyd yr arian i wella'r capel a thŷ'r capel. Mae'r capel ar agor.

LLANGAFFO *Capel Groeslon (A)*
Roedd y capel yn y pentref. Cyfeirnod Grid SH 444 683.
Adeiladwyd y capel hwn yn y blynyddoedd yn dilyn Diwygiad 1839-40. Daeth yr achos i ben yn gynnar yn yr ugeinfed ganrif a defnyddiwyd yr adeilad i ddibenion eraill.

LLANGEFNI *Capel Cildwrn (Ebenezer) (B) / Eglwys Efengylaidd Cildwrn*
Mae'r capel ar ochr y B5109 oddeutu 0.5 milltir (0.8 km) o ganol y dref (Ffigur 7). Cyfeirnod Grid SH 451 760.
Y capel hwn oedd un o gapeli cyntaf y Bedyddwyr yn y sir, yn dyddio o 1782. Gwnaethpwyd newidiadau i'r adeilad sawl tro, yn 1810, 1815 ac wedyn yn 1849 codwyd y to ac ychwanegwyd oriel at y capel gwreiddiol. Bu gwaith pellach yn 1866 a 1878. Mae'r capel yn y dull lleol gyda mynediad wal hir. Fe gysylltir Capel Cildwrn bob amser gyda'r enwog Christmas Evans (1766-1838); ef oedd y gweinidog o 1791 hyd 1826. Roedd mynwent o flaen y capel bron o'r cychwyn ac erbyn hyn mae'r cerrig beddi wedi'u symud a'r fynwent wedi'i thacluso. Yn dilyn agor Capel Penuel (B) yn 1898 bu Capel Cildwrn yn segur am y rhan fwyaf o'r ugeinfed ganrif. Ers yr 1980au mae'r capel wedi'i ddefnyddio gan yr Efengylwyr, ac Eglwys Efengylaidd Cildwrn yw ei enw bellach. Mae Capel Cildwrn yn nodedig oherwydd bod y tu mewn yn ei gyflwr gwreiddiol. Mae'r capel yn adeilad rhestredig gradd 2.

LLANGEFNI *Capel Dinas (P)*
Mae'r adeilad ar ochr ddwyreiniol y dref (Ffigur 7). Cyfeirnod Grid SH 464 756.
Roedd capel ar y safle tua 1800. Gan ei fod yn rhy fychan adeiladwyd capel mwy yn 1836 gyda les yn parhau tan 1902. Cysylltir y capel hwn ag

Ffigur 7
Capeli
LLANGEFNI

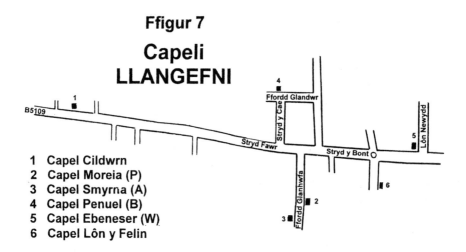

1 **Capel Cildwrn**
2 **Capel Moreia (P)**
3 **Capel Smyrna (A)**
4 **Capel Penuel (B)**
5 **Capel Ebeneser (W)**
6 **Capel Lôn y Felin**

enw John Elias (1774-1841); roedd John Elias yn byw yn Y Fron, Llangefni gyda'i ail wraig o 1830 ymlaen. Roedd cofeb i John Elias yng Nghapel Dinas. Cyn i'r les ddod i ben, gwrthododd y tirfeddiannwr ei hadnewyddu ac felly bu'n rhaid adeiladu capel newydd (gweler Capel Moreia). Symudwyd cofeb John Elias i Gapel Moreia. Mae adeilad Capel Dinas wedi bod yn fodurdy ers blynyddoedd.

LLANGEFNI *Capel Ebenezer (W)*
Mae'r capel ar gyffordd Stryd y Bont a Lôn Newydd (Ffigur 7). Cyfeirnod Grid SH 452 758.
Adeiladwyd y capel cyntaf oddeutu 1805. Gosodwyd carreg sylfaen yr ail gapel gan Miss Martha Edwards, merch un o fasnachwyr Llangefni yn 1864. Fe gasglodd hi dros £200 tuag at adeiladu'r capel. Agorwyd y capel newydd yn 1865. Ychwanegwyd yr ysgoldy yn 1893. Mae'r capel ar agor.

LLANGEFNI *Capel Lôn y Felin (P)*
Saif y capel yn agos at y Llyfrgell (Ffigur 7). Cyfeirnod Grid SH 460 756.
Dechreuodd Ysgol Sul gan y Methodistiaid yn y rhan hon o dref Llangefni ar ddiwedd y bedwaredd ganrif ar bymtheg. Bu'r ysgol mewn sawl lleoliad, yn cynnwys Stryd Pedr (stryd sydd ddim bellach yn bodoli, ond yn agos iawn at leoliad y capel) o 1890 ymlaen. Agorwyd Capel Lôn y Felin ym mis Tachwedd 1903; cost yr adeiladu oedd £481. Mae'r adeilad yn y dull lleol diweddarach. Yn 1966 cafwyd pulpud a sêt fawr o Gapel Nebo (a oedd wedi cau) a chafodd y capel ei adnewyddu. Yn 1974

corfforwyd yn eglwys hunangynhaliol, yn hytrach na bod yn gangen i Gapel Moreia, Llangefni. Ychwanegwyd adeiladau ychwanegol, sef 'Neuadd T. C. Simpson' yn 1978. Roedd T. C. Simpson yn adnabyddus yn lleol ac yn un o ffyddloniaid y capel. Mae'r capel ar agor.

LLANGEFNI *Capel Moreia (P)*

Mae'r capel yn Ffordd Glanhwfa yn agos at Swyddfeydd y Sir (Ffigur 7). Cyfeirnod Grid SH 459 756.

Oherwydd bod les Capel Dinas yn dod i ben, penderfynodd y Methodistiaid adeiladu capel newydd. Prynwyd tir ar Ffordd Glanhwfa am £208 ac adeiladwyd y capel rhwng 1896 a 1898. Cynlluniwyd hwn yn wreiddiol gan Richard G Thomas, Porthaethwy ond bu rhaid newid y cynlluniau i ryw raddau er mwyn arbed arian. Gwnaethpwyd hyn gan Owen Morris Roberts o Borthmadog (a gynlluniodd Neuadd y Sir gerllaw hefyd). Arweiniodd hyn at gryn ddrwgdeimlad. Bu farw Owen Morris Roberts yn 1896 a chwblhawyd y gwaith gan ei gwmni. Cafwyd cyfraniad sylweddol at y costau adeiladu gan y teulu Davies, Porthaethwy. Y gost derfynol oedd £5467. Mae'r adeilad yn y dull clasurol gyda mynediad wal fer (dau ddrws). Yn y capel mae cofeb i John Elias a ddaeth o Gapel Dinas a chyfeirir at Gapel Moreia fel 'Capel Coffa John Elias'. Mae gan y capel bulpud hardd a chafwyd organ wych yn 1928 am £2095, swm anferth o arian am offeryn cerdd ar y pryd. Pregethodd Evan Roberts yma adeg y Diwygiad ym mis Mehefin 1905. Mae'r capel (sy'n adeilad rhestredig gradd 2*) ar agor.

LLANGEFNI *Capel Penuel (B)*

Mae'r capel yn Rhes Glandwr (Ffigur 7). Cyfeirnod Grid SH 458 758.

Adeiladwyd y capel yn 1896-97 ar dir a elwid 'Y Gerddi' fel capel coffa ar gyfer Christmas Evans (1766-1838). Mae'r capel yn y dull clasurol a Lombardaidd gyda mynediad talcen; y pensaer oedd E Evans, Caernarfon. Mae cofeb i Christmas Evans y tu mewn i'r capel. Mae'r capel ar agor.

LLANGEFNI *Capel Smyrna (A)*

Mae'r capel yn Ffordd Glanhwfa gyferbyn â Swyddfeydd y Sir (Ffigur 7). Cyfeirnod Grid SH 458 755.

Adeiladwyd y capel yn 1844 am £250 ac ailadeiladwyd tua 1870. Yn 1903 ailadeiladwyd unwaith eto yn y dull clasurol gyda bwa mawr ar flaen yr adeilad. Bu'r Parchedig Rowland Williams (1823-1905) yn addoli yma cyn iddo fynychu coleg diwinyddol yn 1847. Adnabyddir ef gan ei enw barddol, Hwfa Môn. Bu'n Archdderwydd Cymru a dywedir iddo fod yn bregethwr tanllyd er ychydig yn hirwyntog. Mae'r capel, sy'n adeilad rhestredig gradd 2, ar agor.

LLANGOED *Capel Jerusalem (B)*
Mae'r capel yn Ffordd Biwmares. Cyfeirnod Grid SH 609 794.
Adeiladwyd y capel yn 1802 a chafodd ei ailadeiladu yn 1862 yn y dull lled-glasurol gyda mynediad talcen. Mae'n parhau ar agor.

LLANGOED *Capel Penuel (W)*
Roedd yr adeilad yng nghanol y pentref. Cyfeirnod Grid SH 610 796.
Adeiladwyd y capel cyntaf yn 1833. Gwnaed gwaith ailadeiladu yn 1863 ac yn 1879 gyda Rowland Williams, Llangoed, fel pensaer. Ailadeiladwyd unwaith eto i gynllun William Lloyd Jones, Bangor yn 1906. Roedd y capel yn y dull Gothig gyda mynediad talcen. Ychwanegwyd ysgoldy yn yr un flwyddyn. Caeodd y capel yn 1974 ac erbyn hyn mae wedi'i chwalu.

LLANGOED *Capel Tŷ Rhys (P)*
Saif y capel ychydig i'r gogledd o'r pentref, ddim ymhell o eglwys y plwyf. Cyfeirnod Grid SH 613 806.
Dywedir i'r achos ddechrau mewn tŷ annedd o'r enw Tŷ Isaf. Adeiladwyd y capel cyntaf yn 1794 ac ailadeiladwyd yn 1822. Cafodd y capel ei ymestyn yn y 1870au a gwnaed gwelliannau pellach iddo yn 1908. Mae'r adeilad presennol yn y dull lled-glasurol a lleol gyda mynediad wal fer. Yn 1910 cafwyd tir ar gyfer mynwent newydd ac yn y 1960au gwnaed maes parcio y tu cefn i'r capel. Yn ogystal ag ysgoldy'r capel roedd gan Gapel Tŷ Rhys dri ysgoldy arall: Penmon (o 1889, mewn tŷ wedi'i ddodrefnu'n briodol), Llanfihangel (o 1887, mewn ysgoldy/capel bach a adeiladwyd am £200), ac Ysgoldy y Rhyd (yng nghanol Llangoed mewn adeilad a adeiladwyd yn 1897 am £750). Mae Capel Tŷ Rhys ar agor.

LLANGOED *Ysgoldy Mariandyrus (Bethania) (B)*
Roedd yr ysgoldy yn ardal Glan yr Afon. Cyfeirnod Grid SH 605 808.
Roedd yr ysgoldy yn gysylltiedig â Chapel Jerusalem, Llangoed.

LLANGOED *Ysgoldy y Rhyd (P)*
Mae'r ysgoldy yng nghanol pentref Llangoed. Cyfeirnod Grid SH 610 793.
Mae'r ysgoldy hwn yn perthyn i Gapel Tŷ Rhys. Adeiladwyd yr ysgoldy

yn 1897 am £750. Erbyn hyn mae'r adeilad wedi'i werthu a'i droi'n dŷ annedd.

LLANGRISTIOLUS *Capel Horeb (P)*
Mae'r capel yng nghanol y pentref. Cyfeirnod Grid SH 431 727.
Hwn yw capel cyntaf y Methodistiaid Calfinaidd yn y sir. Fe adeiladwyd y capel cyntaf (adeilad to gwellt) yn 1764. Ailadeiladwyd yn 1777 gan ei helaethu yn 1810. Gwnaed gwaith atgyweirio gwerth £650 yn 1898. Ar achlysur daucanmlwyddiant y capel yn 1964 gwnaed gwaith addurno. Roedd gan Gapel Horeb ddwy gangen Ysgol Sul, sef Llanfawr a Choed Eithin. Yng Nghapel Horeb dechreuodd Richard Owen, y Diwygiwr (1839-1887) bregethu; cafodd ei dderbyn yn aelod pan ond yn ddeg oed. Cafodd y llenor a'r gwerinwr Ifan Gruffydd (awdur *Y Gŵr o Baradwys*) ei ethol yn flaenor yma yn 1945. Yn ei lyfr ceir peth o hanes y capel yng nghyfnod Diwygiad 1904-05. Mae'r capel ar agor.

LLANGRISTIOLUS *Capel Mawr (Capel Paradwys) (A)*
Roedd y capel tua 0.5 milltir (0.8 km) o'r B4422. Cyfeirnod Grid SH 415 717.
Hwn oedd y capel cyntaf ym mhlwyf Llangristiolus. Cyn ei adeiladu cynhelid cyfarfodydd mewn nifer o dai annedd yn cynnwys Cerrig y Gwyddyl. Fe adeiladwyd y capel yn 1763; roedd yn un o'r capeli cyntaf gan yr Annibynwyr yn y sir. Cafodd ei atgyweirio, yn cynnwys gosod seddau a phulpud, am £70 yn 1812. Cafodd ei ailadeiladu am £200 yn 1834. Erbyn hyn mae'r capel wedi'i chwalu, ond erys y fynwent.

LLANGWYLLOG *Capel Gosen (P)*
Mae'r capel ar gyrion y pentref. Cyfeirnod Grid SH 439 790.
Dechreuodd yr achos oddeutu 1808 a 'Ty'n y Coed' oedd yr enw gwreiddiol. Adeiladwyd y capel yn 1835 a dyma pa bryd y defnyddiwyd yr enw 'Gosen' am y tro cyntaf. Atgyweiriwyd yn 1883 ac wedyn yn 1923. Mae'r adeilad yn y dull lleol diweddarach gyda mynediad talcen. Mae tŷ ynghlwm â'r adeilad. Mae'r capel ar agor.

LLANNERCH-Y-MEDD *Capel Ifan (A)*
Mae'r capel yn Stryd y Bont (Ffigur 8). Cyfeirnod Grid SH 417 842.
Sefydlwyd yr achos cyntaf oddeutu 1794 mewn tŷ yn y pentref ac yn ddiweddarach mewn hen dafarndy y 'White Horse' o 1802 hyd at 1811. Adeiladwyd capel o'r enw 'Penuel' neu 'Peniel' yn 1811 gyda 25 o aelodau. Mae hwn ychydig tu allan i'r pentref ar y ffordd i Langefni (gweler isod). Adeiladwyd capel newydd yn Llannerch-y-medd ei hun

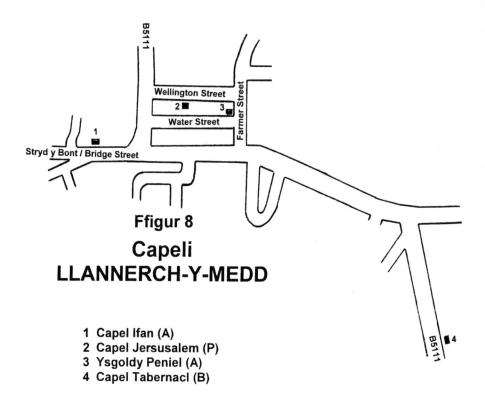

Ffigur 8
Capeli
LLANNERCH-Y-MEDD

1 Capel Ifan (A)
2 Capel Jersusalem (P)
3 Ysgoldy Peniel (A)
4 Capel Tabernacl (B)

yn 1838 am £400. Yn ddiweddarach galwyd y capel hwn yn 'Capel Ifan' fel arwydd o barch at y Parchedig Evan Davies (1794-1855), yn enedigol o Lanbrynmair, a fu'n weinidog yma am gyfnod. Roedd Evan Davies yn flaenllaw iawn gyda'r mudiad dirwest ac adnabyddwyd ef gan y ffugenw 'Eta Delta'. Yn 1861 adeiladwyd y capel presennol am £500, yn y dull lleol gyda ffenestri pengrwn a mynediad wal fer. Yn 1926 ychwanegwyd ystafelloedd ychwanegol ac atgyweiriwyd y capel yn helaeth yn 1963. Mae'r capel ar agor.

LLANNERCH-Y-MEDD *Capel Jerusalem (P)*
Roedd y capel yn Stryd Wellington (Ffigur 8). Cyfeirnod Grid SH 419 842.
Mae'r achos Methodistaidd yma yn dyddio'n ôl i 1785 pan ddefnyddiwyd ystafell uwchben gweithdy. Adeiladwyd y capel cyntaf oddeutu 1791 (Capel Llwyn Drain). Yn 1818 adeiladwyd Capel Jerusalem yn Stryd yr Ysgol; roedd 450 o aelodau. Bu gwaith ailadeiladu pellach yn 1871. Mae'r adeilad yn y dull Gothig syml gyda mynediad wal fer.

Adeiladwyd tŷ i'r gweinidog yn 1890. Roedd gan y capel ysgoldy yng Nghoedana (gweler uchod). Yn niwedd 1990 darganfuwyd nad oedd adeilad Capel Jerusalem yn ddiogel ac fe'i chwalwyd, ond mae'r tŷ capel yn parhau ar ei draed.

LLANNERCH-Y-MEDD *Capel Peniel (A)*
Mae'r adeilad o fewn 0.5 milltir (0.8 km) i Lannerch-y-medd (Ffigur 8). Cyfeirnod Grid SH 427 836.
Bu achos yma ers 1805 ac adeiladwyd y capel tua 1813 yn y dull lleol gyda mynediad wal hir. Mae'r capel yn adeilad rhestredig gradd 2, ond erbyn hyn mae wedi cau. Mae mynwent wrth ochr y capel.

LLANNERCH-Y-MEDD *Capel Tabernacl (B)*
Mae'r capel yn Stryd y Ffermwr (Ffigur 8). Cyfeirnod Grid SH 421 842.
Roedd achos Bedyddwyr Llannerch-y-medd yn dyddio o 1814 ac yn gangen o Gapel Pont yr Arw, Llanfachraeth i ddechrau. Adeiladwyd y capel cyntaf yn 1819 ac yn 1832 codwyd Capel Tabernacl. Gelwid ef gan rai yn 'Gapel Helaeth' oherwydd ei faint – dim ond un capel ar yr Ynys oedd yn fwy nag ef. Daeth yr enwog Henry Rees yn weinidog yn 1889 a bu gwaith adnewyddu sylweddol. Yn ystod y 1990au hefyd bu gwaith atgyweirio helaeth. Mae'r capel, sydd yn y dull lleol, yn parhau ar agor. Mae ysgoldy hefyd ar y safle.

LLANNERCH-Y-MEDD *Ysgoldy (A)*
Saif yr ysgoldy tua 1.0 milltir (1.6 km) i'r de o'r pentref. Cyfeirnod Grid SH 420 826.
Mae'r adeilad yn parhau ar y safle ac erbyn hyn yn rhan o ffermdy.

LLANRHUDDLAD *Capel Hen Bethel (P)*
Mae'r capel yng nghanol y pentref. Cyfeirnod Grid SH 332 891.
Mae achos y Methodistiaid yn Llanrhuddlad yn dyddio o oddeutu 1772. Adeiladwyd capel cyntefig o bridd a chlai tua 1787 (Y Capel Mwd) a defnyddiwyd ef gan y Methodistiaid, y Bedyddwyr a'r Annibynwyr. Mae hwn yn enghraifft o gydweithrediad rhwng yr enwadau yn y dyddiau cynnar. Roedd William Pritchard, Clwchdernog yn un o'r rhai a oedd y tu ôl i'r fenter. Fe adeiladwyd capel arall (Capel Mawr) yn 1799. Ailadeiladwyd y capel yn 1839. Atgyweiriwyd y tu mewn yn 1879 a chreu lle i 280 o addolwyr. Roedd gan y capel ddwy gangen ysgol, sef Cemlyn, Llanrhwydrus (o 1817 mewn tai annedd ac o 1829 mewn ysgoldy neu gapel bach – Siloam) a Llanfair-yng-Nghornwy (o 1819, a ddaeth yn Gapel Salem yn 1839). Mae Capel Hen Bethel ar agor.

LLANRHUDDLAD *Capel Rhydwyn (B)*
Mae'r capel yn ardal Rhydwyn i'r gorllewin o bentref Llanrhuddlad. Cyfeirnod Grid SH 315 890.
Dechreuodd yr achos yn 1791 ac adeiladwyd y capel yn y 1800au cynnar. Bu ailadeiladu yn 1814 ac yn 1842. Mae'r capel yn parhau i fod ar agor.

LLANRHWYDRUS *Capel Seilo, Cefn Coch (A)*
Cyfeirnod Grid SH 334 922.
Adeiladwyd y capel yn 1839 am £120. Mae'n parhau ar agor.

LLANRHWYDRUS *Capel Siloam, Cemlyn (P)*
Cyfeirnod Grid SH 334 923.
Roedd achos yn bodoli gydag Ysgol Sul mewn tai annedd o 1817. Adeiladwyd y capel yn 1828 er na chorfforwyd yr achos yn eglwys annibynnol o Hen Bethel, Llanrhuddlad tan 1862. Ychwanegwyd ysgoldy bychan yn 1900 ac atgyweiriwyd y capel yn 1903. Cafwyd organ drydan yn 1970. Mae'r capel ar agor.

LLANSADWRN *Capel Penucheldref (P)*
Mae'r adeilad tua 0.2 milltir (0.3 km) o'r B5109 yn y pentref. Cyfeirnod Grid SH 558 773.
Roedd Ysgol Sul yn bodoli cyn i'r capel gael ei adeiladu. Fe adnewyddwyd tu mewn y capel yn y 1870au. Cafwyd offeryn cerdd yn 1893. Cafodd y capel ei helaethu yn 1906. Sefydlwyd llyfrgell yno yn 1907 a chafwyd organ ar gyfer yr ysgoldy yn 1920. Prynwyd tŷ ar gyfer y gweinidog yn 1950. Gwnaed gwaith atgyweirio yn 1957. Mae'r capel yn y dull lled-glasurol/pengrwn gyda mynediad talcen. Caeodd y capel yn 1998 ac roedd ar werth yn 2002.

LLANTRISANT *Capel Ainon (B), Pen Llyn*
Mae'r capel mewn man anghysbell i'r gogledd o Lyn Llywenan. Cyfeirnod Grid SH 351 824.
Cwblhawyd y capel cyntaf (gyda 120 sedd) yn 1839. Ailadeiladwyd y capel yn 1881. Mae'r capel ar agor.

LLANWENLLWYFO *Capel Nebo (P)*
Mae'r adeilad i'r dwyrain o Bensarn. Cyfeirnod Grid SH 468 904.
Mae'r capel cyntaf yn dyddio o oddeutu 1788. Ailadeiladwyd y capel yn 1823. Yn 1865 adeiladwyd capel newydd ym Mhensarn (Capel Bosra – gweler isod). Gwnaed gwaith atgyweirio yn cynnwys cael pulpud hardd

yn 1878. Bu atgyweirio pellach yn 1896. Adeiladwyd ysgoldy a thŷ capel yn 1901. Caewyd y capel yn 1966. Erbyn hyn mae'n fflatiau.

LLANWENLLWYFO *Capel Sardis (B)*

Mae'r capel ar ochr yr A5025 i'r gogledd o City Dulas. Cyfeirnod Grid SH 467 880.
Adeiladwyd y capel yn 1834 a gwnaed addasiadau yn 1906. Mae mynwent yn gysylltiedig â'r capel. Mae'r capel ar agor.

LLANYNGHENEDL *Capel Hermon (P)*

Roedd y capel yng nghanol y pentref. Cyfeirnod Grid SH 315 810.
Adeiladwyd y capel yn 1870. Mae'r adeilad yn y dull lleol diweddarach gyda mynediad wal hir. Ychwanegwyd ysgoldy yn 1893. Caeodd y capel yn 1998.

LLECHCYNFARWYDD *Capel Carmel (P)*

Mae'r capel ar ochr y B5112 ym mhentref Carmel. Cyfeirnod Grid SH 388 823.
Adeiladwyd y capel cyntaf yn 1826. Bu gwaith adnewyddu yn 1838 ac yn 1855 adeiladwyd capel newydd. Mae'r capel yn y dull lleol a Gothig syml; y pensaer oedd Hugh Jones, Llanfechell. Ychwanegwyd ysgoldy am £120 yn 1881. Gwnaed gwaith atgyweirio yn 1883, ac yn 1897 cafwyd nenfwd newydd yn y capel (am £550). Mae'r capel ar agor.

LLECHYLCHED *Capel Gwyn (B)*

Mae'r capel ychydig i'r de o Fryngwran. Cyfeirnod Grid SH 349 756.
Adeiladwyd y capel cyntaf yn 1794 ac fe fu ailadeiladu yn 1849 a 1906. Erbyn hyn mae'r capel wedi cau ac yn segur. Mae mynwent gerllaw'r capel.

MAENADDWYN *Capel Hebron (A)*

Mae'r capel ym mhlwyf Llanfihangel Tre'r Beirdd. Cyfeirnod Grid SH 455 841.
Cynhaliwyd gwasanaethau gan yr Annibynwyr mewn tŷ wedi'i rentu tua 1827. Aeth y tŷ yn rhy fychan ac fe adeiladwyd Capel Hebron yn 1829. Mae yn y dull lleol diweddarach gyda mynediad wal hir. Yn 1906 cafwyd yr offeryn cerdd cyntaf. Mae'r capel ar agor.

MALLTRAETH *Capel Elim (Tŷ Mawr) (W)*

Mae'r safle ar yr A4080 tua 1 milltir (1.6 km) i'r gogledd-orllewin o bentref Malltraeth. Cyfeirnod Grid SH 398 695.
Cynhaliwyd gwasanaethau yn y dechrau yn fferm Tŷ Mawr. Adeiladwyd y capel yn weddol gynnar yn y bedwaredd ganrif ar bymtheg. Ailadeiladwyd y capel oddeutu 1890. Bu gwaith atgyweirio

pellach yn 1898. Roedd y capel yn y dull lleol diweddarach gyda mynediad talcen. Caeodd y capel yn 1985 a thŷ annedd sydd ar y safle ar hyn o bryd.

MALLTRAETH *Capel Sardis (P)*
Mae'r capel yn y pentref. Cyfeirnod Grid SH 408 684.
Roedd achos yn bodoli o 1790 mewn gwahanol dai. Cafwyd adeilad pwrpasol yn 1831 ac fe gwblhawyd capel newydd yn 1860 ac atgyweiriwyd ef tua 1896. Bu atgyweirio drachefn yn 1909 a 1934. Mae'r adeilad yn y dull lleol gyda mynediad wal fer (dau ddrws). Fe ddymchwelwyd ysgoldy cyfagos ar ddechrau'r 1990au. Mae'r capel ar agor.

MARIANGLAS *Ysgol Sul (P)*
Mae'r adeilad yng nghanol y pentref. Cyfeirnod Grid SH 504 844.
Mae'r ysgoldy hwn yn adeilad o'r bedwaredd ganrif ar bymtheg ac wedi'i adeiladu yn y dull lleol gyda mynediad wal hir. Fe'i defnyddir heddiw fel neuadd bentref.

MOELFRE *Capel Carmel (A)*
Mae'r capel yn rhan uchaf pentref Moelfre yn agos at y Swyddfa Bost. Cyfeirnod Grid SH 514 865.
Gellir olrhain achos yr Annibynwyr o leiaf cyn belled yn ôl â 1823 gydag ysgoldy mewn tŷ annedd o'r enw Min Don. Adeiladwyd y capel cyntaf yn 1827 am £150 a chafwyd gweinidog yn 1829. Yn 1872 agorwyd capel newydd a adeiladwyd yn y dull lleol diweddarach gyda mynediad talcen. Mae ysgoldy bychan gerllaw. Mae'r capel yn parhau i fod ar agor.

MYNYDD BODAFON *Capel Bethesda (B)*
Mae'r capel ychydig i'r dwyrain o Lyn Bodafon. Cyfeirnod Grid SH 4⊕ 852.
Adeiladwyd y capel bychan hwn yn 1897 yn y dull lleol diweddarach. Mae'r tŷ capel yn dyddio o'r un cyfnod. Mae'r tŷ capel wedi'i ymestyn yn ddiweddar. Nid yw'n eglur a yw'r capel ar agor.

MYNYDD BODAFON *Capel Salem/Caersalem (P)*
Mae'r adeilad ychydig i'r gorllewin o Lyn Bodafon. Cyfeirnod Grid SH 465 852.
Bu Ysgol Sul o tua 1815 ymlaen mewn tŷ o'r enw Neuadd ac yna mewn sawl man arall. Yn 1840 adeiladwyd ysgoldy pwrpasol (o'r enw 'Salem') lle cynhelid pregethau. Yn 1860 adeiladwyd capel newydd, 'Caersalem', yn y dull lleol diweddarach gyda mynediad talcen. Atgyweiriwyd y capel yn 1894. Mae'r capel wedi cau ac fe ddefnyddir yr adeilad fel tŷ annedd.

MYNYDD MECHELL *Capel Calfaria (B), Garreg Fawr*
Mae'r capel yn y pentref. Cyfeirnod Grid SH 361 899.
Adeiladwyd y capel yn 1815 gan ei ailadeiladu/addasu yn 1842, 1862 ac 1898. Mae'r capel ar agor.

MYNYDD MECHELL *Capel Jerusalem (P)*
Mae'r capel yn y pentref. Cyfeirnod Grid SH 358 897.
Roedd Ysgol Sul yn bodoli mewn tŷ o'r enw Hafod Las yn 1815. Yn 1817 adeiladwyd y capel cyntaf yn mesur oddeutu 24 x 21 troedfedd. Dywedir nad oedd seddau ynddo ond roedd pulpud mawr. Fe helaethwyd y capel hwn a rhoddi eisteddleoedd ynddo yn 1827. Helaethwyd y capel ymhellach yn 1852. Ailadeiladwyd y capel yn ddiweddarach. Mae'r adeilad yn y dull lled-glasurol gyda mynediad talcen. Mae ysgoldy gerllaw. Mae'r capel ar agor.

MYNYDD PARYS *Capel Lletrod (P)*
Roedd yr achos hwn yn un o'r rhai cynharaf yn hanes Methodistiaid Calfinaidd yr ynys. Caniatawyd i John Evans, a oedd yn un o swyddogion gwaith cloddio Mynydd Parys, adeiladu capel mewn lle o'r enw Lletroed (neu Lletrod). Cwblhawyd y capel yn y 1780au. Ymhen rhai blynyddoedd (oddeutu 1800) penderfynodd awdurdodau'r cwmni cloddio chwalu'r capel. Pan gynigiwyd defnyddiau'r capel mewn ocsiwn, ni chafwyd unrhyw gynigion amdanynt a bu'r gwaith pren yn pydru yn iard y cwmni heb eu defnyddio. Y rheswm am hyn oedd bod nifer o addolwyr Capel Lletrod yn gweithio yn y gloddfa ac nid oeddent yn awyddus i weld defnyddiau o'r capel yn cael eu defnyddio at ddibenion cloddio. Defnyddiwyd y pulpud gan Gapten ac Arolygydd y Gloddfa i hysbysu'r gweithwyr o'r bargeinion misol oedd wedi'u trafod gyda'r gweithwyr. Dywedir bod Cadi Rondol (Catherine Randal 1743-1828) yn aelod o'r gynulleidfa.

MYNYDD PARYS *Capel Mynydd Parys (P)*
Mae'r capel ar ochr y B5111 tua 0.5 milltir (0.8 km) i'r gogledd o bentref Rhosybol. Cyfeirnod Grid SH 432 898.
Roedd yr achos cymharol fychan hwn yn gangen o Gapel Horeb, Rhosybol. Adeiladwyd y capel cyntaf yn 1884. Mae'r adeilad yn y dull lleol gyda mynediad talcen. Atgyweiriwyd yn 1896 (£132) ac yn 1929 (£114). Cafwyd organ newydd yn 1940. Yn 1970 gwariwyd £750 ar foderneiddio'r capel, ond mae bellach wedi cau ac yn cael ei ddefnyddio fel tŷ annedd ar ôl iddo gael ei werthu yn 2001.

NIWBWRCH *Capel Ebenezer (Capel Isaf) (P)*
Mae'r capel yn Stryd y Capel (Ffigur 9). Cyfeirnod Grid SH 425 655.
Mae hanes achos y Methodistiaid yn Niwbwrch yn dyddio'n ôl i oddeutu 1745-50. Codwyd y capel cyntaf yn 1785. Ychwanegwyd tŷ capel yn 1821. Gwnaed gwaith atgyweirio yn 1835 (am £43). Dywedir bod Diwygiad 1840 wedi rhoi hwb i'r achos ac yn ystod Diwygiad 1859 bu cynnydd sylweddol yn nifer yr aelodau a phenderfynwyd ailadeiladu'r capel. Cwblhawyd y capel newydd yn 1861 am £800. Yn 1880 fe dynnwyd y capel hwn i lawr ac adeiladu trydydd capel gyda lle ar gyfer 600 o addolwyr. Yn ogystal fe ailddodrefnwyd y capel ac adeiladu tŷ capel newydd. Cynlluniwyd y capel newydd gan Richard Davies, Bangor; mae yn y dull lled-glasurol gyda mynediad talcen. Roedd cyfanswm y gost yn £2000. Yn 1892 codwyd ysgoldy (y 'Stafell') am £800. Yn yr un flwyddyn cafwyd offeryn cerdd (harmoniwm) yn y capel am y tro cyntaf. Gwelwyd cynnydd mawr yn rhif yr aelodaeth yn ystod Diwygiad 1904-05. Yn 1913 cyflwynwyd dwy ffenestr liw (o boptu'r pulpud) i'r capel gan Syr John Pritchard-Jones a oedd yn gymwynaswr hael i'r capel. Gwnaed gwaith atgyweirio a rhoddwyd trydan yn y capel yn 1924 (£950). Helaethwyd y fynwent yn 1928. Yn 1880 gadawodd gŵr o Awstralia, ond yn wreiddiol o Niwbwrch, swm o £500 i'r 'Methodist Chapel in Newborough, Anglesey'. Honnodd y Wesleaid mai eu capel hwy oedd y 'Methodist Chapel'. Fodd bynnag, ni lwyddodd y Wesleaid i gael yr arian (gweler Pennod 6). Mae'n ddiddorol nodi bod y llenor adnabyddus Islwyn Ffowc Elis wedi bod yn weinidog yma rhwng 1953 a 1956. Mae'r capel ar agor.

NIWBWRCH *Capel Salem (B)*
Mae'r adeilad yn Stryd Pendref (Ffigur 9). Cyfeirnod Grid SH 424 657.
Dechreuodd achos y Bedyddwyr yn 1804. Adeiladwyd y capel yn 1849 ond caeodd yn 1917 a bu'n segur tan 1928. Erbyn hyn mae'n dŷ annedd.

NIWBWRCH *Capel Soar (A)*
Mae'r adeilad yn Stryd yr Eglwys (Ffigur 9). Cyfeirnod Grid SH 424 656.
Dechreuodd achos yn 1860 ac adeiladwyd y capel yn 1864. Roedd nifer yr addolwyr yn fychan ac ni fu llwyddiant mawr. Caewyd y capel a gwerthwyd yr adeilad i gwmni bwydydd anifeiliaid yn 1922.

NIWBWRCH *Capel y Wesleaid (Capel Uchaf) (W)*
Roedd y Capel yn Stryd Malltraeth (Ffigur 9). Cyfeirnod Grid SH 422 659.
Adeiladwyd capel bychan yn 1804. Caeodd y capel yn 1914 ac fe ddefnyddiwyd yr adeilad fel modurdy (Garej Pen Bonc).

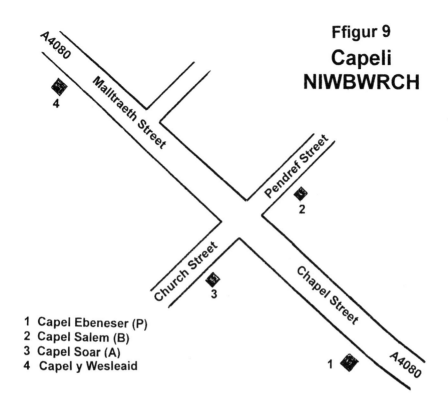

Ffigur 9
Capeli
NIWBWRCH

1 **Capel Ebeneser (P)**
2 **Capel Salem (B)**
3 **Capel Soar (A)**
4 **Capel y Wesleaid**

PARC *Capel y Parc (P)*
Mae'r capel ym mhentref Y Parc (plwyf Llandyfrydog). Cyfeirnod Grid SH 448 869.
Mae achos y Methodistiaid yn y lle hwn yn dyddio o 1779. Adeiladwyd capel yn 1821 ac ychwanegwyd ysgoldy yn 1840. Helaethwyd y capel ac ychwanegwyd tŷ a stabl yn 1860. Atgyweiriwyd y capel a helaethu'r ysgoldy yn 1893 (£391). Gwnaethpwyd gwelliannau eraill yn cynnwys gwresogi trydan, organ newydd ac adnewyddu'r tŷ capel yn y 1960au. Mae'r capel yn y dull lled-glasurol a lleol diweddarach. Mae'n parhau ar agor.

PENCARNISIOG *Capel Maelog (W)*
Mae'r capel ym mhentref bach Pencarnisiog i'r gogledd o bentref Bryn Du. Cyfeirnod Grid SH 352 737.
Dechreuodd yr achos oddeutu 1803 ac adeiladwyd y capel cyntaf tua 1820. Adeiladwyd capel newydd helaethach yn 1863. Ailadeiladwyd y

capel hwn yn 1889 yn y dull pengrwn gyda mynediad talcen. Mae tŷ capel wrth ei ymyl. Mae'r capel ar agor.

PENMON *Ysgoldy Penmon (P)*
Mae'r adeilad mewn man anghysbell ym mhlwyf Penmon. Cyfeirnod Grid SH 623 806.
Mae'r ysgoldy hwn yn gysylltiedig â Chapel Tŷ Rhys, Llangoed. Adeiladwyd yn 1889 yn y dull lleol. Caewyd yr ysgoldy yn 1970, ac yn 1999 roedd ar werth.

PENMYNYDD *Capel Gilead (P)*
Mae'r capel ar ochr y ffordd rhwng Porthaethwy a Phenmynydd. Cyfeirnod Grid SH 521 736.
Dechreuodd yr achos yn Dragon Wen, Penmynydd. Yn 1833 adeiladwyd Capel Gilead, gan ei ailadeiladu yn 1856 a 1866. Mae'r adeilad yn y dull pengrwn syml a lled-glasurol gyda mynediad talcen. Gwnaed gwaith atgyweirio yn 1934 (£150). Mae'r capel, sydd mewn cyflwr taclus, ar agor. Mae tŷ capel hefyd ar y safle.

PENMYNYDD *Capel Horeb (A)*
Mae'r capel 0.2 milltir (0.3 km) i'r de o'r brif ffordd drwy'r pentref. Cyfernod Grid SH 508 744.
Roedd cyfarfodydd gan yr Annibynwyr mor bell yn ôl â 1742 yn Ty'n y Cae a Dragon Bach. Dechreuodd yr achos yn 1815 ac fe gwblhawyd y capel a thŷ capel am £180 yn 1828. Mae'r adeilad yn y dull lleol gyda mynediad wal hir. Nid yw'r adeilad yn debyg i gapel ac nid oes arwydd arno o gwbl. Mae ar agor.

PENTRAETH *Capel Ebenezer (A)*
Mae'r adeilad yng nghanol y pentref. Cyfeirnod Grid SH 523 784.
Roedd yr Annibynwyr wedi dechrau pregethu yn y plwyf cyn adeiladu'r capel cyntaf yn 1803 am £40. Ailadeiladwyd yn 1809, 1856 (am £300) a 1903 yn y dull Lombardaidd a lled-glasurol gyda mynediad talcen. Mae'r capel wedi cau.

PENTRAETH *Capel Moreia (B)*
Mae'r adeilad yn Ffordd Benllech. Cyfeirnod Grid SH 522 790.
Roedd achos yma yn 1886 ac fe adeiladwyd y capel yn 1902. Mae'r capel ar agor.

PENTRAETH *Capel Nazareth (P)*

Mae'r adeilad yn Stryd y Capel yng nghanol y pentref. Cyfeirnod Grid SH 522 787.
Adeiladwyd y capel cyntaf yn 1829 a'i ailadeiladu yn 1860 yn y dull lleol diweddar gyda mynediad talcen. Yn 1927-8 prynwyd prydles y tir, adeiladu ysgoldy, helaethu'r tŷ capel ac atgyweirio'r capel (cyfanswm £1400). Roedd gan Nazareth ysgoldy ym Mhen Lôn, Traeth Coch o ddechrau'r ugeinfed ganrif. Gwerthwyd yr ysgoldy hwn yn 1969 am £1000; defnyddiwyd £600 i atgyweirio'r capel. Caeodd y capel yn 1998 ac mae'r adeilad yn segur ar hyn o bryd.

PENTRE BERW *Capel Berea (A)*

Saif y capel ar y B4419 oddeutu 0.2 milltir (0.3 km) o'r A5. Cyfeirnod Grid SH 472 721.
Adeiladwyd y capel yn 1839 am £200 a'i helaethu yn 1860 am £100. Mae'r adeilad yn y dull lled-glasurol gyda mynediad talcen (dau ddrws). Mae tŷ capel yn gysylltiedig â'r adeilad. Mae'r cyfan mewn cyflwr da ac mae'r capel yn parhau i fod ar agor.

PENTRE BERW *Capel Pen y Sarn (P)*

Mae'r capel ar y ffordd i Ceint oddeutu 0.2 milltir (0.3 km) o'r A5. Cyfeirnod Grid SH 472 724.
Roedd Ysgol Sul yn yr ardal mor gynnar â 1824, ond ni adeiladwyd y capel tan 1867 (£830). Mae'r adeilad yn y dull Gothig syml gyda mynediad talcen. Ychwanegwyd cyntedd iddo yn 1881 ac ysgoldy yn 1883. Gwnaethpwyd gwaith atgyweirio gwerth £210 yn 1932. Yn anffodus yn ystod yr Ail Ryfel Byd fe ffrwydrodd rhyw fath o fom a chwalwyd to'r capel. Fe gostiodd y gwaith atgyweirio £1200. Yn 1947 rhoddwyd trydan yn y capel i'w oleuo. Erbyn hyn mae'r capel wedi cau a bellach mae'n dŷ annedd.

PENYGRAIGWEN *Capel Newydd (Capel Mwd), Glanrafon (B)*

Mae'r capel mewn man anghysbell ger pentref Penygraigwen yng ngogledd plwyf Llandyfrydog. Cyfeirnod Grid SH 439 883.
Y capel hwn oedd capel cyntaf y Bedyddwyr ar Ynys Môn; Adeiladwyd yn 1776. Ailadeiladwyd y capel yn 1848 yn y dull lleol diweddar. Adnabyddid y capel ar lafar gwlad fel y 'Capel Mwd.' Erbyn hyn mae wedi bod ar gau ers blynyddoedd maith. Ceir mynwent gerllaw. Dywedir bod Cadi Rondol (Catherine Randal, 1743-1828), un o gefndir amheus iawn o Amlwch ac yn enwog am ei hymddygiad gwarthus, wedi cael tröedigaeth yn y capel hwn tua 1790. Adfail yn unig yw'r adeilad hwn bellach.

PENYSARN *Capel Bosra (P)*

Mae'r capel ar yr A5025 ar gyrion y pentref. Cyfeirnod Grid SH 459 907.

Adeiladwyd y capel yn 1865 yn y dull pengrwn syml a lled-glasurol gyda mynediad wal fer, gan ei atgyweirio yn 1909. Roedd Owen Griffith (1851-1897) yn flaenor yng Nghapel Bosra; cofir amdano fel canwr gwych ac yn flaenllaw mewn cylchoedd cerddorol. Hefyd ysgrifennodd lyfr adnabyddus ar hanes Mynydd Parys a gyhoeddwyd yn 1897. Roedd ganddo brofiad personol o'r mynydd gan iddo ddechrau gweithio yno pan ond yn naw oed. Mae'r capel ar agor ac mae'n adeilad rhestredig gradd 2.

PENYSARN *Capel Carmel (B)*

Mae'r capel yng nghanol y pentref. Cyfeirnod Grid SH 460 904.

Mae'r achos yn dyddio o 1822 ac fe adeiladwyd y capel yn 1842; ailadeiladwyd yn 1860 a 1901. Mae'r adeilad yn y dull pengrwn syml gyda mynediad wal fer. Mae'r capel ar agor.

PONTRHYDYBONT *Capel Hebron / Capel y Bont (W)*

Saif y capel ar ochr y B4545. Cyfeirnod Grid SH 274 780.

Adeiladwyd y capel cyntaf yn 1806 ac addaswyd ef yn 1860. Yn 1874 adeiladwyd capel newydd ar dir a roddwyd gan Mr T. L. Hampton-Lewis (o Fodior, sydd ryw filltir i ffwrdd), wedi'i gynllunio gan Richard Davies, Bangor. Nid yw'r capel, sydd ar godiad tir ar ochr y ffordd, yn adeilad arbennig o hardd. Mae'r capel bellach wedi cau ers 1998 ac mewn cyflwr gwael.

PONTRHYDYBONT *Capel Sardis (B)*

Mae'r capel ar ochr y B4545. Cyfeirnod Grid SH 278 783.

Adeiladwyd y capel cyntaf yn 1828. Ailadeiladwyd/addaswyd y capel yn 1839 a 1861. Capel bychan iawn yw Sardis gyda gwydr lliw plaen yn rhai o'r ffenestri. Mae mynwent yno. Mae Capel Sardis ar agor.

PORTHAETHWY *Capel Mawr (Beerseba) (P)*

Mae'r adeilad yn Stryd y Capel (Ffigur 10). Cyfeirnod Grid SH 557 718.

Roedd achos Methodistaidd ym Mhorthaethwy mewn sawl gwahanol le ddechrau'r bedwaredd ganrif ar bymtheg. Cwblhawyd y capel cyntaf am £450 yn 1838 ar dir a gafwyd ar brydles gan Ardalydd Môn. Yn 1856 tynnwyd yr hen gapel i lawr ac adeiladwyd capel newydd. Ychwanegwyd oriel at y capel yn 1861. Cafwyd pulpud hardd a sêt fawr yn 1871 fel rhodd gan Richard Davies, Treborth. Ychwanegwyd ysgoldy

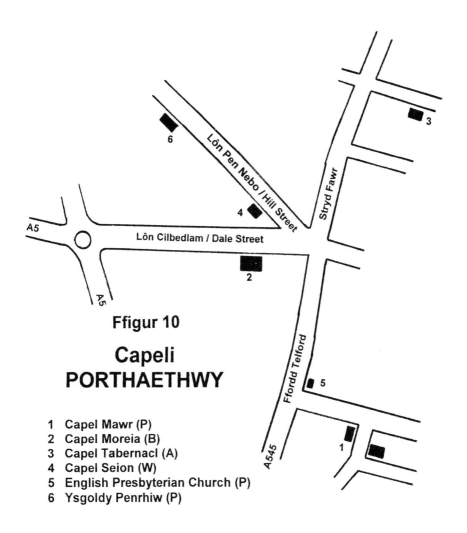

Ffigur 10

Capeli
PORTHAETHWY

1 Capel Mawr (P)
2 Capel Moreia (B)
3 Capel Tabernacl (A)
4 Capel Seion (W)
5 English Presbyterian Church (P)
6 Ysgoldy Penrhiw (P)

gyferbyn â'r capel yn 1881 (cost £802). Yn 1896 adeiladwyd Ysgoldy Penrhiw mewn rhan arall o'r dref (£500). Gwariwyd dros £2500 ar atgyweirio'r capel a phrynu organ yn 1904. Rhoddwyd trydan yn y capel, yr ysgoldy ac Ysgoldy Penrhiw yn 1907. Yn y capel mae tabled er cof am y Parchedig Thomas Charles Williams (1868-1927) a fu'n weinidog am 29 mlynedd (o 1898 hyd 1927). Hefyd mae plât arian yn dynodi mai yng Nghapel Mawr y traddododd John Williams (Brynsiencyn) ei bregeth gyntaf. Heb amheuaeth mae Capel Mawr yn un o gapeli harddaf y sir gydag oriel, organ bib, paneli pren a nenfwd hardd eithriadol. Mae tu

105

allan y capel yr un mor urddasol. Mae'n ddiddorol nodi mai Capel Mawr oedd y capel cyntaf ar yr Ynys i gael gweinidog cyflogedig. Yr enw gwreiddiol ar y capel oedd Beerseba, ond ni chafodd yr enw hwnnw ei arddel ers blynyddoedd maith. Mae Capel Mawr ar agor.

PORTHAETHWY *Capel Moreia (B)*
Mae'r capel yn Lôn Cilbedlam (Ffigur 10). Cyfeirnod Grid SH 557 720.
Mae'r capel hwn mewn cyflwr eithriadol o wael, yn dangos effeithiau esgeulustod dros nifer o flynyddoedd. Mae wedi cael ei ddefnyddio fel siop ffrwythau a llysiau ers peth amser ac mae'r to mewn cyflwr drwg iawn. Yng nghefn y capel, fodd bynnag, mae'r Bedyddwyr yn parhau i ddefnyddio'r festri/ysgoldy fel addoldy.

PORTHAETHWY *Capel Seion (W)*
Roedd y capel yn Lôn Pen Nebo (Ffigur 10). Cyfeirnod Grid SH 555 722.
Sefydlwyd achos y Wesleaid yn 1810 ac roedd y capel cyntaf yn dyddio o 1836. Adeiladwyd capel helaethach yn 1902. Ceir ychydig o hanes y capel gan E. Tegla Davies yn ei lyfr *Gyda'r Blynyddoedd* (Gwasg y Brython, Lerpwl, 1952). Roedd y Parchedig Tegla Davies yn weinidog yma ym mlynyddoedd cyntaf yr ugeinfed ganrif. Caewyd y capel yn 1978 ac fe'i chwalwyd. Adeiladodd y cyngor fflatiau ar y safle ac yn addas iawn, enw'r fflatiau yw 'Llys Tegla'.

PORTHAETHWY *Capel Tabernacl (A)*
Mae'r capel yn Ffordd Cynan (Ffigur 10). Cyfeirnod Grid SH 558 722.
Cwblhawyd y capel yn 1867. Cyfrannodd y dyngarwr Samuel Morley AS yn hael tuag at gost ei adeiladu. Mae gan y capel ymddangosiad eglwysig ac mae wedi'i wasgu i mewn i safle gweddol fychan. Mae ysgoldy bychan yn y cefn. Mae'r capel ar agor.

PORTHAETHWY *English Presbyterian Church (P)*
Mae'r capel yn Ffordd Telford (Ffigur 10). Cyfeirnod Grid SH 557 719.
Dechreuodd y Methodistiaid bregethu yn Saesneg ym Mhorthaethwy oddeutu 1867-8. Adeiladwyd y capel hwn yn 1888 yn bennaf drwy haelioni teulu Treborth. Yr oedd gwraig Robert Davies yn ferch i'r pregethwr enwog, Henry Rees (1798-1869). Roedd gan y teulu eu drws preifat i ddod i mewn i'r capel. Cynllunydd y capel oedd Richard Griffith Thomas, Porthaethwy. Mae yn adeilad mawr ac yn debycach i eglwys nac i gapel. Mae'r meindwr yn debyg i finarét mosg Twrcaidd. Yn 1950 cafwyd darllenfa dderw a goleuadau newydd er cof am Miss A. M. Davies (merch Robert Davies) a fu farw yn 1947. Mae'r capel ar agor.

PORTHAETHWY *Ysgoldy Penrhiw (P)*

Mae'r adeilad yn Lôn Pen Nebo (Ffigur 10). Cyfeirnod Grid SH 557 722.

Roedd yr ysgoldy hwn yn gysylltiedig â Chapel Mawr, Porthaethwy. Caewyd beth amser yn ôl ac mae'n dŷ annedd erbyn hyn.

PORTH LLECHOG *Ysgoldy/Ystafell Genhadol (P)*

Mae'r adeilad yn y pentref. Cyfeirnod Grid SH 424 943.

Mae'r adeilad yn dyddio o ddiwedd y bedwaredd ganrif ar bymtheg. Erbyn hyn mae wedi'i drawsnewid i nifer o fflatiau.

RHOSBEIRIO *Capel Hephsiba (P)*

Mae'r capel mewn man gwledig ym mhlwyf Rhosbeirio tua 2 filltir (3.2 km) o Lanfechell. Cyfeirnod Grid SH 394 913.

Cynhelid Ysgol Sul o tua 1817 ymlaen mewn dau le: Melin Rhos ac, yn ddiweddarach, y Ffactri. Mae sôn hefyd bod y Methodistiaid wedi cynnal Ysgol Sul yn eglwys y plwyf (St. Peirio) am gyfnod. Adeiladwyd capel bychan yn 1850 ac fe'i corfforwyd yn achos annibynnol yn 1856. Ailadeiladwyd y capel (am £518) yn 1902. Yn 1914 codwyd tŷ capel gydag ysgoldy bychan uwch ei ben yn ogystal â cherbyty. Yn y 1960au cynnar gwerthwyd y tŷ capel, yr ysgoldy a'r cerbyty. Erbyn hyn mae'r capel hefyd wedi cau a defnyddir yr adeilad fel tŷ annedd.

RHOSCEFNHIR *Capel Pen y Garnedd (P)*

Mae'r capel ar y B5025 rhwng Porthaethwy a Phentraeth. Cyfeirnod Grid SH 536 766.

Dechreuodd yr achos oddeutu 1782; roedd yn tarddu o Glasinfryn (Waeneurad), Llanbedr-goch. Codwyd y capel cyntaf yn 1793 ar dir fferm Penygarnedd. O ganlyniad i Ddiwygiad 1822 cynyddodd y gynulleidfa a chodwyd capel newydd yn 1824. Codwyd y capel presennol yn 1876 (cost tua £1200). Yn y 1870au sefydlwyd Ysgol Sul yn Rhoscefnhir ('Ysgol y Rhos') gan Mary Owen; yn 1894 cafwyd adeilad pwrpasol ar gyfer yr Ysgol Sul ym mhentref Rhoscefnhir (£500). Atgyweiriwyd Capel Pen y Garnedd yn 1914 (£155). Gwerthwyd Ysgoldy Rhoscefnhir yn 1969 am £1400 a defnyddiwyd yr arian i atgyweirio'r tŷ capel. Mae'r capel ar agor.

RHOSCEFNHIR *Ysgoldy Rhoscefnhir (P)*

Mae'r adeilad ym mhentref Rhoscefnhir. Cyfeirnod Grid SH 523 766.

Adeiladwyd yr ysgoldy yn 1894 gan Gapel Pen y Garnedd, Rhoscefnhir. Caewyd yr ysgoldy yn 1969 gan ei werthu. Mae'n dŷ annedd erbyn hyn ac wedi'i drawsnewid yn sylweddol.

RHOSCOLYN *Capel Seion (Capel Ty'n Rhos) (P)*

Mae'r capel yng ngogledd y pentref. Cyfeirnod Grid SH 271 764.

Cychwynnodd yr achos yn 1795 mewn lle o'r enw Ty'n Rhos. Bu ysgolion Sul mewn gwahanol dai ar ddechrau'r bedwaredd ganrif ar bymtheg. Adeiladwyd y capel cyntaf yn 1805 ac fe ychwanegwyd stabl, *coach-house* a chegin yn 1898. Mae'r capel presennol yn dyddio o 1906 pan gafwyd eisteddleoedd newydd a gwnaed gwaith ar yr adeiladau (cyfanswm £500). Mae'r adeilad yn y dull clasurol gyda mynediad talcen. Mae'n adeilad rhestredig gradd 2. Mae'r capel ar agor.

RHOSGOCH *Capel Pengarnedd (P)*

Mae'r capel i'r gorllewin o'r pentref. Cyfeirnod Grid SH 400 890.

Adeiladwyd ysgoldy Rhosgoch yn 1899 a chorfforwyd yn eglwys yn 1905. Dathlwyd canmlwyddiant yr achlysur hwn mewn gwasanaeth arbennig ym mis Gorffennaf 2005. Nid oes gweinidog wedi bod yma ers ugain mlynedd, ond mae'r capel yn parhau i fod ar agor.

RHOSMEIRCH *Capel Ebenezer (Capel Mawr) (A)*

Mae'r capel ar gyrion Rhosmeirch, tua 0.5 milltir (0.8 km) o'r B5111. Cyfeirnod Grid SH 462 777.

Adeiladwyd capel yma yn 1749, y capel cyntaf gan yr Annibynwyr yn y sir. Cyn hyn roedd achos yr Annibynwyr yng Nghaeau Môn (gweler Pennod 1). Roedd y Bedyddwyr a'r Methodistiaid Calfinaidd hefyd yn defnyddio'r capel yn y dyddiau cynnar cyn iddynt gael eu capeli eu hunain. Dywedir i John Wesley a George Whitefield ymweld â chapel Rhosmeirch. Cafodd y capel ei ailadeiladu yn 1800 ond yn 1869 fe'i chwalwyd cyn codi'r capel presennol. Roedd y capel gwreiddiol wedi'i leoli ar ran o'r fynwent bresennol. Mae'r adeilad yn y dull clasurol gyda mynediad talcen. Mae tŷ capel hefyd ar y safle. Y Parchedig Jonathan Powell (1764-1823) oedd gweinidog y capel rhwng 1798 a 1821; mae ei fedd yn y fynwent (gweler Pennod 2). Yn y fynwent hefyd mae cofgolofn i'r enwog William Pritchard, Clwchdernog (1702-1773) ac mae tabled coffa iddo y tu ôl i'r pulpud. Mae'r capel ar agor.

RHOSNEIGR *Capel Bethania (A)*

Mae'r safle yng nghanol y pentref. Cyfeirnod Grid SH 319 732.

Cychwynnodd yr achos oddeutu 1902 mewn capel bach nepell o sgwâr y pentref. Roedd y capel yn cael ei ystyried yn gangen o Gapel Rehoboth, Llanfaelog (gweler uchod). Yn ystod y Rhyfel Byd Cyntaf cynhaliwyd gwasanaethau Saesneg yn rheolaidd. Cwblhawyd capel newydd yn 1918. Mae'r capel wedi cau.

RHOSNEIGR *Capel Horeb (W)*

Mae'r capel yn Ffordd Maelog. Cyfeirnod Grid SH 319 731.
Dechreuodd yr achos ac adeiladwyd y capel yn 1904. Cyfanswm cost ei adeiladu oedd £1070 a William Lloyd Jones o Fangor oedd y pensaer. Roedd lle yn y capel ar gyfer 200 o addolwyr. Pan agorodd y capel cynhaliwyd gwasanaethau Cymraeg a Saesneg. Daeth yr achos i ben yn 1986 ac fe werthwyd y capel. Erbyn hyn mae'r adeilad yn perthyn i'r Rhosneigr Evangelical Church.

RHOSNEIGR *Capel Paran (P)*

Mae'r capel yng nghanol y pentref. Cyfeirnod Grid SH 318 730.
Roedd yr achos hwn yn cael ei ystyried yn gangen o Gapel Bryn Du. Roedd Ysgol Sul mewn sawl lle cyn i gapel gael ei adeiladu yn 1827. Capel hollol ddiaddurn (heb eisteddleoedd iawn) oedd hwn a gelwid ef yn 'Cwt y Fendith' gan rai o bobl y cylch. Yn 1850 adeiladwyd capel gwell a rhoddwyd yr enw 'Paran' iddo. Cafodd y capel hwn ei atgyweirio yn 1857 a chafwyd eisteddleoedd a phulpud yno am y tro cyntaf yn 1867. Corfforwyd Capel Paran yn achos annibynnol i Gapel Bryn Du yn 1884. Yn 1887 codwyd y capel presennol a'r tŷ capel; mae'r capel yn y dull pengrwn syml gyda mynediad talcen. Fe helaethwyd y capel yn 1903. Ychwanegwyd ysgoldy yn 1913 am £350 ac yn 1929 gwariwyd dros £1000 i brynu tŷ i'r gweinidog. Yn 1935 cafwyd rhodd o ffenestr liw gan y Parchedig Theophilus Lewis (y gweinidog o 1929 i 1948) er cof am ei wraig. Dwy flynedd yn ddiweddarach cafwyd dwy ffenestr liw arall, un er cof am weinidog cyntaf y capel, y Parchedig William Hughes a'r llall er cof am aelod o'r capel, sef Griffith Rowlands. Yn ystod yr Ail Ryfel Byd fe ddefnyddiwyd un o ystafelloedd y capel ar gyfer milwyr. Roedd W. D. Owen y cyfreithiwr ac awdur y nofel gyffrous *Madam Wen* yn aelod o Gapel Paran. Mae'r capel ar agor.

RHOSNEIGR *Capel Penuel (B)*

Roedd y capel yng nghanol y pentref. Cyfeirnod Grid SH 319 730.
Dechreuodd yr achos mewn adeilad ger y traeth yn 1895. Adeiladwyd Capel Penuel am £250 yn 1898. Bu cysylltiad rhwng Capel Penuel a Chapel Gwyn (Llechylched) am flynyddoedd gyda'r un gweinidog ar gyfer y ddau gapel. Mae'r capel wedi cau ac wedi ei werthu ers 1961.

RHOSNEIGR *Emmanuel Christian Fellowship*
Mae'r grŵp hwn yn cyfarfod yn Neuadd y Pentref, Stryd Fawr. Cyfeirnod Grid SH 318 730.
Ffurfiwyd yr Emmanuel Christian Fellowship yma yn 1994; mae ganddynt gysylltiadau gydag eglwysi mewn rhannau eraill o Gymru.

RHOSNEIGR *Rhosneigr Evangelical Church*
Mae'r adeilad yn Ffordd Maelog. Cyfeirnod Grid SH 391 731.
Mae'r enwad efengylaidd hwn yn dyddio o'r 1970au; dechreuwyd defnyddio hen Gapel Horeb (gweler uchod) tua 1987.

RHOSTREHWFA *Capel Cana (P)*
Mae'r capel yng nghanol y pentref. Cyfeirnod Grid SH 437 745.
Adeiladwyd Capel Cana yn 1827 ar ddarn o dir a roddwyd gan Richard Davies. Fe ailadeiladwyd y capel yn 1891 (gyda lle i 200 o addolwyr). Cyfanswm cost y capel a'r tŷ capel oedd £818. Mynychwyd Ysgol Sul Capel Cana gan Richard Owen, y Diwygiwr er ei fod yn aelod yng Nghapel Horeb, Llangristiolus. Yn 1951 dadorchuddiwyd cofeb i Richard Owen. Yn ystod storm yn 1954 fe chwythwyd to'r capel i ffwrdd, a bu'n rhaid addoli yng Nghapel Pisgah (B) am 9 mis tra roedd y difrod yn cael ei drwsio. Mae'r capel ar agor.

RHOSTREHWFA *Capel Pisgah (B)*
Mae'r capel yng nghanol y pentref. Cyfeirnod Grid SH 440 747.
Adeiladwyd Capel Pisgah yn 1875. Mae'n gapel bychan gyda thŷ capel. Mae'n parhau ar agor.

RHOSYBOL *Capel Bethania (A)*
Mae'r capel ger ochr y B5111 yng ngogledd y pentref. Cyfeirnod Grid SH 428 889.
Adeiladwyd y capel yn 1884. Mae'r capel bychan yn y dull pengrwn gyda mynediad talcen, ond un nodwedd anghyffredin sydd ynddo yw'r ffenestr olwyn yn y talcen. Mae tŷ capel gerllaw. Mae'n parhau ar agor.

RHOSYBOL *Capel Bethel (Capel Bach) (W)*
Roedd y capel yng ngorllewin y pentref. Cyfeirnod Grid SH 421 885.
Adeiladwyd y capel cyntaf yn 1826. Mae'r capel wedi cau ers blynyddoedd.

RHOSYBOL *Capel Bethel (B)*
Mae'r adeilad yng ngogledd y pentref. Cyfeirnod Grid SH 426 891.
Dywedir i'r achos ddechrau yn 1840. Cafwyd capel am y tro cyntaf yn 1841 ac fe adeiladwyd capel newydd yn 1861 am £400. Adeiladwyd festri yn 1932 am £400 a chafwyd pulpud ar ei gyfer o gapel yn Rhosneigr. Chwalwyd y capel a'r tŷ capel yn 1992 ac wedyn defnyddiwyd y festri ar gyfer gwasanaethau. Caeodd y capel yn 2003 ac addaswyd yn dŷ annedd, er bod llechen gydag enw'r capel yn parhau i fod ar y wal.

RHOSYBOL *Capel Horeb (Gorslwyd) (P)*
Mae'r capel ar ochr y B5111 yn ne'r pentref. Cyfeirnod Grid SH 425 881.
Adeiladwyd y capel cyntaf yn 1791 gan ei ailadeiladu yn 1827. Yn 1865 adeiladwyd capel newydd gyda thŷ capel. Y pensaer oedd R. G. Thomas, Porthaethwy. Mae'r capel yn y dull lled-glasurol gyda mynediad wal fer (dau ddrws). Mae sôn bod diwygiad nerthol wedi digwydd yn lleol o ganlyniad i gyfarfod gweddi yng Nghapel Horeb yn 1884. Yn 1892 codwyd ysgoldy (£450) a gwario £100 ar y capel. Yn fuan wedyn gwariwyd £700 yn ychwanegol. Gwnaed gwaith atgyweirio gwerth £200 yn 1927. Mae'r capel ar agor.

RHOSYBOL *Capel Mynydd Parys (P)* (gweler Mynydd Parys)

STAR *Capel Pencarneddi (B)*
Mae'r capel ychydig i'r gorllewin o bentref Star. Cyfeirnod Grid SH 511 725.
Mae'r achos yn dyddio'n ôl i 1780. Cwblhawyd y capel cyntaf yn 1803 a'i helaethu yn 1827. Ailadeiladwyd y capel yn 1870 ac ychwanegwyd ysgoldy tua'r un pryd. Mae'r capel presennol yn dyddio o 1929. Mae yn y dull pengrwn syml gyda mynediad talcen. Gwnaethpwyd gwaith atgyweirio yn 1996. Mae'r capel ar agor.

TALWRN *Capel Nyth Clyd (Capel Mawr) (P)*
Mae'r capel ychydig i'r de o'r B5109. Cyfeirnod Grid SH 486 769.
Roedd achos Methodistaidd yn yr ardal cyn diwedd y ddeunawfed ganrif. Mae cofnod bod yr enwog John Elias wedi pregethu yn y cyffiniau yn yr awyr agored yn 1799. Yn 1806 adeiladwyd y capel cyntaf ar dir tyddyn o'r enw Nyth Clyd. Yn dilyn peth ailadeiladu yn 1851, adeiladwyd y capel presennol yn 1880 ac fe ychwanegwyd ysgoldy a thŷ capel (cost £1340). Mae'r capel yn y dull lleol a lled-glasurol gyda mynediad talcen. Y pensaer oedd Richard Davies o Fangor. Cafwyd trydan yn y capel yn 1961. Mae'r capel ar agor. Yn gysylltiedig ag achos

Nyth Clyd fe drefnwyd Ysgol Sul anenwadol ar un adeg yn Ysgoldy Bach (adeiladwyd yn 1835 ar gyfer Ysgol Sul a chyfarfodydd plwyf). Yn ystod Diwygiad 1904-05 cynhaliwyd cyfarfodydd yn y lle hwn. Mae'r capel yn parhau i fod ar agor.

TALWRN *Capel Siloam (Capel Bach) (A)*

Mae'r capel ychydig i'r de o'r B5109. Cyfeirnod Grid SH 490 771.

Adeiladwyd y capel hwn am £90 yn 1841 ar dir a roddwyd gan Owen Jones, Tan-y-graig, Llanffinan. Ailadeiladwyd y capel yn 1880. Mae yn y dull pengrwn syml gyda mynediad talcen. Mae'n parhau ar agor.

TRAETH COCH *Capel Bethel (B)*

Roedd yr adeilad tua 0.5 milltir (0.8 km) i'r de o Draeth Coch. Cyfeirnod Grid SH 531 792.

Adeiladwyd y capel cyntaf yn 1803 gan ei ailadeiladu yn 1832. Mae'r rhan fwyaf o'r adeilad wedi'i ddymchwel erbyn hyn.

TRAETH COCH *Capel Saron (P)*

Saif y capel yn agos i hen Westy Bryn Tirion. Cyfeirnod Grid SH 524 809.

Cychwynnodd achos Methodistiaid Traeth Coch mewn adeilad gerllaw fferm Castell Mawr – galwyd hwn yn Gapel Halen. Roedd yr achos hwn yn gangen o Gapel Tabernacl, ger Benllech. Fe sefydlwyd Ysgol Sul yn 1807 (lle roedd pregethu'n achlysurol) a chafwyd capel yn y 1830au. Corfforwyd yr achos fel un annibynnol o'r Tabernacl yn 1881 ac yn 1884 cwblhawyd capel newydd (gyda lle ar gyfer oddeutu 180 o addolwyr) ar gost o £700. Roedd yr adeilad yn y dull lled-glasurol gyda mynediad talcen. Cafodd ei atgyweirio yn 1924. Erbyn hyn mae'r capel wedi cau ers rhai blynyddoedd ac fe ddefnyddir yr adeilad fel tŷ annedd. Mae llechen gydag enw'r capel yn parhau i fod ar y talcen.

TRAETH COCH *Ysgoldy Pen Lôn (P)*

Roedd y capel ger y traeth. Cyfeirnod Grid SH 527 800.

Tua dechrau'r ugeinfed ganrif daeth bwthyn o'r enw Pen Lôn (rhwng Pen y Bont a Phen Traeth) ger Traeth Coch yn wag. Fe'i prynwyd gan Gapel Nazareth, Pentraeth a chynhaliwyd Ysgol Sul yno am flynyddoedd. Gwerthwyd ef am £1000 yn 1969 a defnyddiwyd rhan o'r arian i atgyweirio Nazareth. Erbyn hyn mae'n dŷ annedd.

TREGELE *Capel Bethania (W)*
Roedd y capel ym mhentref Tregele. Cyfeirnod Grid SH 358 925.
Sefydlwyd yr achos yn 1810. Caeodd y capel yn 1973.

Y FALI *Capel Hermon (B)*
Mae'r capel yng nghanol y pentref. Cyfeirnod Grid SH 292 792.
Ffurfiwyd y capel yn 1868. Mae'r capel yn y dull pengrwn gyda mynediad wal fer. Mae'n parhau ar agor.

Y FALI *Capel Tabor (P)*
Saif y capel ar y B4545 yn y pentref. Cyfeirnod Grid SH 293 792.
Cynhaliwyd Ysgol Sul yn yr ardal mewn sawl lleoliad o 1818 ymlaen. Yn 1824 cafwyd ysgoldy pwrpasol o'r enw Tabor y tu allan i'r pentref. Yn 1857 adeiladwyd capel ar safle'r ysgoldy. Yn 1881 adeiladwyd y capel presennol yn y Fali am £900. Mae'r capel yn y dull lled-glasurol gyda mynediad talcen. Mae bwa a ffenestr gron yn y talcen. Y pensaer oedd R. G. Thomas, Porthaethwy. Cafwyd offeryn cerdd yn y capel yn 1907. Yn 1905 ar dir gyferbyn â'r capel codwyd Neuadd Tabor a thŷ ar gyfer y gweinidog am £963. Yn 1930 gwariwyd £500 yn rhagor ar Neuadd Tabor a £300 drachefn yn 1938. Gweinidog cyntaf Capel Tabor yn 1907 oedd y Parchedig Robert Hughes, llenor ac awdur y gyfrol *Enwogion Môn 1850-1912*. Mae'r capel ar agor

Mynegai

Brynhyfryd (A), Ffordd Newhaven, Caergybi
Bryntwrog (P), Bodwrog (wedi cau)
Brynrefail (P), Brynrefail
Caergeiliog (P), Caergeiliog
Caersalem (P), Mynydd Bodafon (wedi cau)
Caersalem (W), Cerrig Mân (wedi cau)
Calfaria (B), Mynydd Mechell
Cana (A), Llanddaniel
Cana (P), Rhostrehwfa
Capel Gwyn (B), ger Bryngwran (wedi cau)
Capel Ifan (A), Llannerch-y-medd
Capel Mawr (A), Llangristiolus (wedi'i chwalu)
Capel Mawr (A), Rhosmeirch (gweler Ebeneser (A), Rhosmeirch)
Capel Mawr (P), Amlwch
Capel Mawr (P), Porthaethwy
Capel Newydd (B), Llandyfrydog (wedi cau)
Capel Uchaf (W), Niwbwrch (wedi cau)
Capel y Drindod (P), Biwmares
Carmel (A), Moelfre
Carmel (A), Porth Amlwch (capel wedi cau)
Carmel (B), Penysarn
Carmel (P), Carreglefn
Cefn Bach (P), Ffingar, Llanedwen (wedi cau)
Cefniwrch (P), Cefniwrch, plwyf Llanfair M.E. (wedi cau)
Cildwrn (Efengylaidd), Llangefni
Crecrist (P), Bae Trearddur (wedi cau)
Cross Street English Methodist Church (W), Caergybi (wedi cau)
Dinas (P), Llangefni (wedi cau)
Disgwylfa (P), Ffordd Llundain, Caergybi (wedi cau)
Disgwylfa (P), Gaerwen
Dothan (P), ger Tŷ Croes
Dwyran (P), Dwyran
Ebeneser (A), Llanfairpwll
Ebeneser (A), Llanfechell
Ebeneser (A), Pentraeth (wedi cau)
Ebeneser (A), Rhosmeirch
Ebeneser (B), Cildwrn, Llangefni (gweler Capel Cildwrn, Llangefni)
Ebeneser (P), Kingsland, Caergybi (wedi cau)
Ebeneser (P), Llanfaethlu
Ebeneser (P), Niwbwrch

Ebeneser (W), Biwmares (wedi cau)
Ebeneser (W), Llangefni
Ebeneser (W), Trefor, plwyf Llandrygarn
Elim (W), Bodorgan (wedi cau)
Elim (A), Dwyran (wedi cau)
Elim (P), Llanddeusant
Elim Pentecostal Church, Ffordd Newhaven, Caergybi
Engedi (P), Engedi
English Methodist Church (W), Ffordd Longford, Caergybi
English Presbyterian Church (P), Biwmares (wedi cau)
English Presbyterian Church (P), Stryd Newry, Caergybi
English Presbyterian Church (P), Porthaethwy
Gad (P), Bodffordd
Gilead (P), Penmynydd
Gilgal (P), Bodedern
Glasinfryn (P), Llanbedr-goch
Gorslwyd (P), Rhosybol (gweler Horeb (P), Rhosybol)
Gosen (P), Llangwyllog
Groeslon (A), Llangaffo (wedi cau)
Gwalchmai (B), Gwalchmai
Gwalchmai (P), Gwalchmai (gweler Jerusalem (P), Gwalchmai)
Gwynfa (W), Ffordd Longford, Caergybi (wedi cau)
Hafodlas (P), Llanfechell (wedi cau)
Hebron (A), Maenaddwyn
Hebron (B), Ffordd Kingsland, Caergybi
Hebron (P), Bryngwran
Hebron (W), Pontrhydybont (wedi cau)
Hen Bethel (P), Llanrhuddlad
Hephsiba (P), Rhosbeirio (wedi cau)
Hermon (A), Hermon, plwyf Llangadwaladr (wedi cau)
Hermon (B), y Fali
Hermon (P), Llanynghenedl (wedi cau)
Horeb (A), Penmynydd
Horeb (B), Biwmares (wedi cau)
Horeb (B), Llanddeusant (wedi cau)
Horeb (P), Brynsiencyn
Horeb (P), Llangristiolus
Horeb (P), Rhosybol
Horeb (W), Rhosneigr (wedi cau)
Hyfrydle (P/Eglwys Unedig), Stryd y Felin, Caergybi

Jerusalem (B), Ffordd Biwmares, Llangoed
Jerusalem (P), Gwalchmai
Jerusalem (P), Llannerch-y-medd (wedi cau)
Jerusalem (P), Mynydd Mechell
Libanus (A), Benllech
Libanus (A), Brynsiencyn (wedi cau)
Libanus (P), Llanfechell
Lôn y Felin (P), Llangefni
Maelog (W), Pencarnisiog, Llanfaelog
Moreia (A), Gwalchmai
Moreia (B), Gaerwen
Moreia (B), Pentraeth
Moreia (B), Porthaethwy
Moreia (P), Llanbadrig
Moreia (P), Llangefni
Mynydd Parys (P), Rhosybol (wedi cau)
Nazareth (P), Pentraeth (wedi cau)
Nebo (P), Llanwenllwyfo (wedi cau)
Nebo (W), Llanfair-yng-Nghornwy (wedi cau)
New Park English Baptist Chapel (B), Stryd Newry, Caergybi
Noddfa (A), Ffordd Llundain, Caergybi
Noddfa (P/Eglwys Unedig), Towyn Capel, Bae Trearddur
Nyth Clyd (P), Talwrn
Oasis Church, Biwmares
Paradwys (P), Llanallgo
Paran (P), Rhosneigr
Parc (P), Llandyfrydog
Pencarneddi (B), Star (plwyf Penmynydd)
Pengarnedd (B), Rhosgoch
Peniel (A), Coedana (wedi cau)
Peniel (P), Llanddona
Peniel (P), Porth Amlwch
Penucheldref (P), Llansadwrn (wedi cau)
Penuel (B), Llangefni
Penuel (B), Rhosneigr (wedi cau)
Penuel (W), Llangoed (wedi cau)
Pen y Garnedd (P), Rhoscefnhir
Pen y Sarn (P), Pentre Berw (wedi cau)
Penrhosfeilw (P), Ynys Cybi (wedi cau)
Pisgah (B), Rhostrehwfa

Ponc yr Efail (P), Bae Trearddur (wedi cau)
Pont yr Arw (B), Llanfachraeth
Porthyfelin (B), Caergybi (wedi cau)
Preswylfa (P), Llanddaniel (wedi cau)
Rehoboth (A), Llanfaelog
Rehoboth (P), Burwen, ger Amlwch
Rhos y Gad (P/Eglwys Unedig), Llanfairpwll
Rhydwyn (B), Llanrhuddlad
Salem (A), Bryngwran (plwyf Llechylched)
Salem (B), Amlwch (wedi cau)
Salem (B), Niwbwrch (wedi cau)
Salem (P), Ysgoldy Capel Hyfrydle, Teras Millbank, Caergybi (wedi cau)
Salem (P), Llanfair-yng-Nghornwy
Salem (P), Llanfwrog (wedi cau)
Salem (W), Llanfairpwll (wedi cau)
Sardis (A), Bodffordd
Sardis (B), Llanwenllwyfo
Sardis (B), Pontrhydybont
Sardis (P), Malltraeth
Saron (A), Bodedern
Saron (A), Bodgadfa, ger Amlwch (wedi cau)
Saron (P), Traeth Coch, plwyf Llanbedr-goch (wedi cau)
Seilo (A), Cefn Coch, Llanrhwydrus
Seilo (B), Llaingoch, Caergybi
Seilo (B) Caergeiliog
Seilo (P), Pengorffwysfa, Llaneilian
Seion (A), Biwmares (wedi cau)
Seion (A), Glanrhyd, Rhosgoch, Carreglefn
Seion (B), Llandegfan (wedi cau)
Seion (B), Llanfair Mathafarn Eithaf
Seion (P), Llandrygarn
Seion (P), Rhoscolyn
Seion (W), Aberffraw
Seion (W), Burwen, ger Amlwch (wedi cau)
Seion (W), Llaingoch, Caergybi (wedi cau)
Seion (W), Porthaethwy (wedi cau)
Siloam (A), Llanfair-yn-neubwll (wedi cau)
Siloam (A), Talwrn
Siloam (P), Cemlyn, Llanrhwydrus
Smyrna (A), Llangefni

Soar (A), Brynteg, Rhosfawr

Soar (A), Niwbwrch (wedi cau)

Soar (B), Llanfaethlu

Soar (P), Soar, plwyf Aberffraw

Soar (W), Bodedern

Tabernacl (A), Stryd Thomas, Caergybi

Tabernacl (A), Porthaethwy

Tabernacl (B), Bodedern

Tabernacl (B), Brynsiencyn (wedi cau)

Tabernacl (B), Stryd y Ffermwr, Llannerch-y-medd

Tabernacl (P), Tynygongl, Llanfair Mathafarn Eithaf

Tabernacl Newydd (A), Stryd Newry, Caergybi (wedi cau)

Tabor (A), Mynydd Caergybi

Tabor (P), y Fali

Talar Rodio (P), Aberffraw

Teman (A), Dwyran, plwyf Llangeinwen (wedi cau)

Tŷ Mawr (P), Capel Coch, Llanfihangel Tre'r Beirdd

Tŷ Mawr (W), ger Malltraeth (gweler Elim (W), Bodorgan)

Tŷ Rhys (P), Llangoed

Ty'n y Maen (P), Llanfigel

Ysgoldy Babell (P), plwyf Llaneugrad (wedi cau)

Ysgoldy Disgwylfa (P), Lôn Las, Brynsiencyn (wedi cau)

Ysgoldy Llaethdy (P), Amlwch

Ysgoldy Marianglas (P), Marianglas (wedi cau)

Ysgoldy Penlon (P), Traeth Coch (wedi cau)

Ysgoldy Penmon (P), Penmon (wedi cau)

Ysgoldy Penrhiw (P), Porthaethwy (wedi cau)

Ysgoldy Penrhyn (P), Llanbadrig (wedi cau)

Ysgoldy Porth Llechog (P), Porth Llechog (wedi cau)

Ysgoldy Porthyfelin (B), Caergybi (wedi cau)

Ysgoldy Rhoscefnhir (P), Rhoscefnhir (wedi cau)

Ysgoldy'r Rhyd (P), Llangoed (wedi cau)

Ysgoldy Ty'n Goeden (P), ger Dwyran (wedi cau)

Ysgoldy Stryd Wexham (P), Biwmares (wedi cau)